CATHERINE

Grande rêveuse, Catherine, au début, n'était pas une jardinière très convaincue, mais elle a été rapidement conquise par la construction d'un bac pour l'observation des racines. Le terrarium est une de ses plus belles réussites.

SIMON

Simon, c'est le plus espiègle de la bande. Il préfère les expériences scientifiques qui font du bruit ou qui se réalisent avec de la chimie bouillonnante et colorée. Dans le jardin, c'est le spécialiste de la lutte aux insectes indésirables.

KIM ►

Elle ne porte pas des bottines d'alpiniste pour rien : Kim est une éternelle exploratrice. Plusieurs des expériences de ce livre ont été réalisées grâce à la patience et à la ténacité de cette petite bonne femme qui adore faire pousser des tulipes… en hiver !

CAROLINE, MATHIEU, ROBERT, KIM, SIMON et CATHERINE te souhaitent la bienvenue dans L'ÉQUIPE DES JARDINIERS DU PROF SCIENTIFIX !

JARDINEZ AVEC
LE PROFESSEUR SCIENTIFIX

4ᵉ année.

JARDINEZ AVEC

LE PROFESSEUR SCIENTIFIX

Des expériences pour toutes les saisons

Huguette BEAUCHAMP RICHARDS et Robert RICHARDS
illustrations de Jacques GOLDSTYN

1988
Québec Science Éditeur / Presses de l'Université du Québec
C.P. 250, Sillery, Québec   G1T 2R1

La collection des PETITS DÉBROUILLARDS
est dirigée par le professeur Scientifix
et réalisée conjointement par l'Agence Science-Presse
et Québec Science Éditeur
Les illustrations intérieures ainsi que celle de la page couverture
sont de Jacques Goldstyn.
La conception graphique de ce volume est de Richard Hodgson
et Pierre Parent

ISBN 2-920073-24-9
Québec Science Éditeur / Presses de l'Université du Québec

Dépôt légal — 4e trimestre 1982
Bibliothèque nationale du Québec
Bibliothèque nationale du Canada
Imprimé au Canada

Table des matières

Introduction

Ce livre ne se veut pas un traité complet de botanique. Il vise plutôt
à éveiller la curiosité de l'enfant en l'introduisant à la vie végétale.
Des expériences scientifiques et des projets toutes saisons amèneront des heures
de découvertes amusantes pour l'enfant, ses amis(es) et sa famille.

Nous avons voulu stimuler la participation active du jeune débrouillard
en laissant à maintes reprises l'espace nécessaire pour qu'il note le résultat
de ses expériences. Par exemple, le dernier chapitre lui propose
de conserver dans un mini-herbier les feuilles et les fleurs provenant
des différents légumes cultivés en famille.

Sans nécessairement planifier un grand potager, l'enfant pourrait choisir
de cultiver uniquement son légume préféré. La culture en récipients serait alors
tout indiquée, qu'il vive en banlieue ou à la ville, au troisième étage.

Les procédures décrites ont toutes été expérimentées. Il existe bien sûr
d'autres moyens pour obtenir de bons résultats. N'hésitez pas à informer
le professeur Scientifix de vos essais en lui écrivant à

Club des petits débrouillards
4545, avenue Pierre-de-Coubertin
Case postale 1000, succursale M, Montréal (Québec)   H1V 3R2

Certaines étapes susciteront une collaboration parents-enfants, voire même
éducateurs-élèves. Nous souhaitons que tous y trouvent détente et satisfaction.

Puisse l'observation de la vie végétale stimuler la créativité de l'enfant
et de ses proches.

Huguette BEAUCHAMP RICHARDS
Robert RICHARDS

1.
LA PLANTE, UN ÊTRE VIVANT

Les plantes sont des êtres vivants. Comme vous, elles se nourrissent, respirent, éliminent des déchets, grandissent, se reproduisent, vieillissent et meurent. Elles peuvent être saines ou malades. Contrairement à vous cependant, elles ne peuvent se déplacer à la recherche d'un environnement favorable. Qu'elles soient cultivées en contenants ou au potager, elles dépendent entièrement de vous et de leur milieu de croissance.

La culture, c'est donc un défi que la nature vous lance. La plupart du temps, vous permettrez à certaines plantes de survivre contre les lois de la compétition imposée par la nature elle-même. Par exemple, si vous installez un plant de tomates dans un champ sauvage et que vous l'abandonnez à son sort, il est à peu près certain qu'il sera rapidement recouvert par la végétation locale. Tout au plus, récolterez-vous quelques tomates chétives sous des conditions de pluie ou de soleil favorables, mais les mauvaises herbes, les insectes et les maladies empêcheront le plant de se reproduire. Donc, pour qu'un jardin produise de beaux fruits, légumes ou fleurs, il faut s'en occuper.

Vous aurez la satisfaction d'avoir mis la nature de votre côté et de garnir la table familiale de *vos* légumes frais remplis de vitamines.

Lorsqu'une semence trouve des conditions favorables de température et d'humidité, elle germe. Il en sort une racine qui s'enfonce dans le sol et une tige qui, tout en montant, s'orne de feuilles. À ce moment, la plante ne requiert que de l'eau et une température adéquate, car la graine contient les éléments nutritifs nécessaires à la plante. Très tôt cependant, les racines absorbent des minéraux et les feuilles entreprennent les processus de la photosynthèse et de la respiration.

Regardez pousser vos racines

P our observer les racines de vos plantes, faites-les pousser dans un contenant transparent. Les parois du contenant devront cependant être recouvertes d'un papier noir que l'on retire pour l'observation, car les racines fuient la lumière. Vous pouvez utiliser un pot de verre, un aquarium ou fabriquer votre propre bac d'observation.

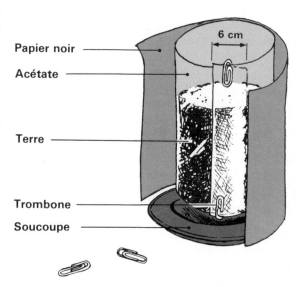

Papier noir

Acétate

Terre

Trombone

Soucoupe

6 cm

Nous vous suggérons deux modèles de bac à construire. Le premier est très simple. Procurez-vous chez votre marchand de matériel scolaire une feuille d'acétate munie d'un papier cartonné noir et servant à protéger les feuilles. Enlevez le papier noir et faites un cylindre avec l'acétate. Retenez le cylindre en le fixant avec quelques trombones en haut et en bas. À l'endroit où l'acétate est réunie, celle-ci doit se superposer sur au moins 5 ou 6 cm pour être solide.

Placez le cylindre dans une soucoupe, remplissez-le de terre à jardinage que vous arrosez copieusement et semez vos graines. N'oubliez pas de recouvrir le cylindre de papier noir.

Arrosez toujours dans la soucoupe car l'eau déposée en surface entraînerait la terre dans la soucoupe. Ne soulevez jamais le cylindre puisqu'il n'a pas de fond.

Ce système a l'avantage d'être très économique. Par contre, il a l'inconvénient d'être fragile.

La construction du deuxième modèle exige l'aide d'un adulte. Il est plus résistant que le premier, bien que plus complexe à construire.

Procurez-vous trois bouts de planche de 2,5 × 10 cm (pin ou cèdre), dont un de 40 cm de long pour le fond et deux de 20 cm pour les côtés, deux vitres ou deux feuilles de plastique rigide transparent, une scie, quelques clous et deux morceaux de papier noir.

Les dimensions approximatives de vos vitres sont les suivantes :

- hauteur : 20 cm
- longueur : 40 cm

Largeur entre les deux vitres : 4 cm.

Les bouts de planche formeront le cadre de votre bac et le support pour les vitres. Celles-ci seront insérés dans des fentes. Pour faire ces fentes, tracez deux traits de scie de 1 cm de profondeur de chaque côté à environ 1 cm du bord. Les fentes doivent être identiques sur toutes les planches pour que les vitres s'y insèrent bien.

20 cm

4 cm

40 cm

Reliez ensuite les planches avec quelques clous et de la colle à bois. Une latte de bois clouée de chaque côté solidifierait le haut du cadre. Perforez deux ou trois trous dans la planche du bas pour permettre l'égouttement de l'eau.

Insérez les vitres ou les pièces de plastique dans les fentes de bois. Remplissez aux trois quarts de bon terreau, arrosez et semez vos graines. N'oubliez pas de recouvrir les vitres de papier noir.

Regardez boire vos racines

P our bien comprendre le rôle des racines, prenez un légume racine (carotte, betterave ou pomme de terre). Percez un trou au centre, mettez-y du sucre pour remplir ce trou et installez le légume dans un verre d'eau. Seulement le quart ou la moitié de la racine devrait tremper dans l'eau.

Au bout de quelques heures (tout au plus 24 heures), le trou sera rempli d'eau. S'il n'y avait pas eu de sucre dans la cavité, il n'y aurait pas eu d'eau non plus.

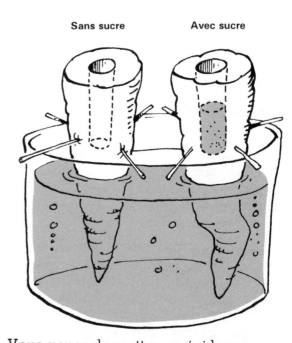

Sans sucre   Avec sucre

Vous venez de mettre en évidence le phénomène de l'osmose. Les cellules laissent pénétrer l'eau pour diluer la trop grande quantité de sucre. Dans le sol, l'eau et les minéraux s'introduisent ainsi dans la plante. Les principaux sels minéraux absorbés contiennent de l'azote, du phosphore et du potassium. Les engrais chimiques contiennent une grande quantité de ces éléments, comme nous le verrons à la section «Les engrais». L'eau et les minéraux sont ensuite dirigés vers les feuilles, à travers de minuscules vaisseaux, par un processus qu'on nomme capillarité.

De la racine à la feuille

Pour expérimenter ce phénomène de capillarité, diluez dans un demi-verre d'eau une cuillerée à thé de sucre et une de sel. Placez le verre sur un bloc de bois et trempez-y le bout d'un papier absorbant. Vous observerez rapidement que le papier se mouille même s'il n'est pas entièrement dans l'eau. Fixez le papier de telle sorte qu'il reste suspendu dans les airs tandis que le bout trempe toujours dans l'eau et attendez quelques heures. Si possible, aérez la partie extérieure avec un ventilateur. Laissez sécher, et vous remarquerez que des cristaux de sucre et de sel se forment sur toute la surface du papier; en montant, l'eau a donc entraîné le sel et le sucre par capillarité.

Les feuilles jouent d'autres rôles pour la plante: entre autres, elles transpirent et sont le siège de la photosynthèse et de la respiration.

Les feuilles transpirent

Pour voir vos plantes transpirer, enveloppez une ou quelques feuilles dans un sac de plastique transparent. Attachez le sac pour y emprisonner la feuille. L'été, lorsqu'il fait soleil, il suffira de quelques minutes pour qu'une feuille de plant de tomates, de pommier ou de géranium produise de la buée sur la paroi du sac.

La transpiration joue un rôle important dans le transport de l'eau vers les feuilles. En effet, en laissant l'eau s'évaporer, la feuille agit comme une pompe et aspire l'eau jusqu'à elle.

Par temps sec et chaud, surtout s'il vente légèrement, cette évaporation sera plus intense. C'est alors qu'il faudra arroser le potager pour donner aux racines toute l'eau nécessaire. Nous verrons plus loin comment le binage est important pour cet apport d'eau aux racines.

La photosynthèse

L a seule source d'énergie pour la vie sur notre globe provient du soleil. C'est par la photosynthèse que les plantes transforment l'énergie solaire en énergie chimique. Grâce à la chlorophylle, le pigment vert des plantes, et avec l'énergie du soleil, les plantes fabriquent des sucres à partir de gaz carbonique et d'eau. De l'oxygène est produit en même temps que ces sucres.

Cet oxygène est libéré dans l'atmosphère. Il y a donc un cycle écologique entre «les animaux qui produisent du gaz carbonique et absorbent de l'oxygène» et «les plantes qui absorbent le gaz carbonique et produisent de l'oxygène».

Le sucre synthétisé par les plantes se disperse dans toute la plante.

L'amidon est la combinaison chimique de plusieurs sucres. Une forte concentration de sucre dans les racines forcera l'eau à s'y introduire par osmose comme nous l'avons déjà mentionné.

Les protéines sont elles aussi issues de la photosynthèse. Dans leur cas, l'azote est intégré à la molécule. Les animaux iront chercher leur énergie en mangeant des plantes ou d'autres animaux herbivores.

La respiration des plantes est un processus différent de la photosynthèse. Tout comme vous, les plantes respirent de l'oxygène et expirent du gaz carbonique. Le jour, la photosynthèse étant très importante par rapport à la respiration, la plante produit beaucoup plus d'oxygène qu'elle n'en absorbe. L'inverse est vrai pour le gaz carbonique. Par contre, la nuit, la photosynthèse s'arrête et seule la respiration continue. C'est pourquoi nous disons que la nuit, les plantes produisent du gaz carbonique. En fait, elles en produisent autant le jour que la nuit par leur respiration.

Oxygène

Gaz carbonique

2.
LA REPRODUCTION

La reproduction représente pour votre potager l'étape la plus importante. En effet, une grande partie de votre récolte dépend directement de la formation de légumes ou de graines.

Tous les fruits sont conçus par la plante dans le but de se reproduire, c'est-à-dire donner naissance à de nouveaux plants. Entre autres, c'est le cas des tomates, des concombres, des citrouilles, des haricots, des pois ou du maïs.

Il est donc important de connaître le mécanisme de reproduction des plantes pour, au besoin, intervenir afin d'obtenir une plus grande production.

Cependant, nous parlerons uniquement des plants se reproduisant à l'aide de fleurs, laissant de côté ceux qui produisent des spores (fougères, mousses, lichens).

L'anatomie d'une fleur

Observez de près une fleur d'un de vos plants. Vous y distinguerez différentes parties: les sépales, les pétales, le pistil et les étamines.

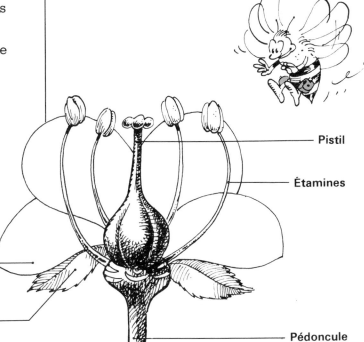

Pistil

Étamines

Pétale

Sépales

Pédoncule

Coloriez les différentes parties de la fleur: les pétales en jaune, les sépales en vert pâle, le pédoncule en vert foncé, les étamines de couleur orange et le pistil en rouge.

Les *sépales,* généralement de couleur verte, constituent une enveloppe protectrice des parties centrales fragiles de la fleur.

Les *pétales,* partie colorée de la fleur, entourant les organes de reproduction qui sont le pistil et les étamines.

Le *pistil* est l'organe femelle. Il recevra le pollen et se développera pour engendrer les graines et les fruits. Il se subdivise en trois parties : le *stigmate,* le *style* et l'*ovaire.*

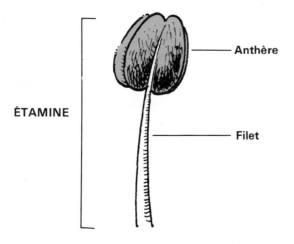

ÉTAMINE

— Anthère

— Filet

Les *étamines* produisent le pollen, qui est à l'origine des cellules de reproduction mâles. Elles comprennent l'*anthère,* centre de production du pollen, et le *filet,* tige supportant l'anthère à la hauteur désirée.

La fécondation

Une fois reçu par le stigmate, le pollen s'introduit dans le pistil. Sur le stigmate, le pollen développe un fil (la tige pollinique) qui descend jusqu'à l'ovaire en traversant le style. C'est dans l'ovaire qu'a lieu la fécondation. L'ovaire contient des cellules femelles, les ovules. Lorsque la tige développée à partir du grain de pollen arrive à l'ovule, il sort de cette tige une cellule de reproduction mâle, le spermatozoïde. Celui-ci s'unit à l'ovule... et c'est le début de la formation des graines.

Semées en terre, ces graines germeront pour donner naissance à une nouvelle plante.

Nous avons schématisé un modèle de fleur. La nature a cependant créé de nombreuses diversités. Ainsi certaines plantes, comme les concombres, portent sur leur tige des fleurs mâles n'ayant que des étamines et des fleurs femelles ne développant que des pistils. D'autres, comme les saules, n'ont que des fleurs mâles ou des fleurs femelles sur chaque plant.

Cependant, le procédé général demeure toujours le même: le pollen

LA PETITE PORTEUSE DE POLLEN

APRÈS S'ÊTRE POSÉE SUR LA FLEUR, L'ABEILLE RECUEILLE LE POLLEN DES ÉTAMINES...

CE POLLEN EST EMMAGASINÉ DANS DE PETITES POCHES FIXÉES À SES PATTES

ELLE VOLE ENSUITE BUTINER UNE AUTRE FLEUR DE LA MÊME ESPÈCE...

QUELQUES GRAINS DE POLLEN DE LA PREMIÈRE RÉCOLTE S'ÉCHAPPENT ET TOMBENT SUR LE STIGMATE...

UN DE CES GRAINS GERME ET DÉVELOPPE ALORS UNE TIGE QUI DESCEND DANS LE TUBE POLLINIQUE...

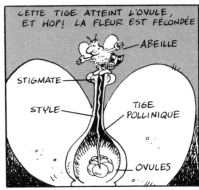

CETTE TIGE ATTEINT L'OVULE, ET HOP! LA FLEUR EST FÉCONDÉE

ABEILLE
STIGMATE
STYLE
TIGE POLLINIQUE
OVULES

doit rencontrer un pistil
pour qu'il y ait fécondation.
Par contre, il existe des variétés
de concombres, artificiellement créées
par les chercheurs scientifiques,
dont la formation
se produit sans pollinisation.
Ces concombres n'ont cependant pas
de graines fertiles.

La fleur est-elle fécondée?

Lorsque votre plant de tomates épanouit ses premières fleurs, vous avez hâte de savoir si la fleur sera fécondée ou non. Observez bien le phénomène suivant:

Entre l'épanouissement de la fleur et les premiers signes visibles d'une fécondation réussie, il s'écoule environ 48 heures, un peu plus si la température est fraîche. En regardant attentivement, vous apercevrez, au niveau des sépales, le début de la formation de votre première tomate, c'est-à-dire un gonflement d'environ 5 mm.

Une température inférieure à 12°C ralentit la fécondation et, dans ce cas, la fleur a le temps de tomber avant que le pollen n'atteigne l'ovaire.

Nous avons observé ce phénomène dans notre potager. Cependant, la majorité des variétés hâtives sont fécondées avec succès à des températures plus basses (voir la section «Comment choisir vos variétés»).

Vous pouvez polliniser vos plants

La pollinisation est le mécanisme de transport et d'arrivée du pollen sur le pistil. Ce processus est essentiel pour obtenir des fruits. Le pollen peut être transporté vers le pistil de différentes manières. Le vent, les insectes (en particulier l'abeille) et l'oiseau-mouche en sont les principaux transporteurs. Le vent se charge de transporter surtout le pollen des arbres, du blé et du maïs, tandis que les insectes, attirés par la couleur et l'odeur, butineront d'une fleur à l'autre. Le rôle de l'oiseau-mouche quoique très marginal mérite d'être mentionné.

Si vous semez vos plants de légumes à l'intérieur, vous observerez sans doute la formation de fleurs. Vous auriez alors avantage à faire vous-même le travail de

l'abeille et des insectes
pour la pollinisation.

Un coton-tige passé délicatement
d'une fleur à l'autre transportera
le pollen nécessaire à la fécondation
et s'avérera aussi efficace
que l'abeille.

Vous pourrez aussi employer ce
procédé pour vos plants
installés au

potager, lors des trop longues
périodes de pluies printanières qui
risquent de perturber la pollinisation.
Secouez légèrement un plant de
tomate, cela fera tomber le pollen
sur le pistil, ou encore secouez
légèrement un plant pour faire
tomber le pollen sur le pistil.

3.
LES SEMIS INTÉRIEURS

Les catalogues des fournisseurs de semences sont disponibles dès janvier; plusieurs contiennent d'excellents conseils de jardinage et une bonne description des nombreuses variétés de légumes et de fleurs offerts.

Prenez le temps de les étudier attentivement. Le catalogue 1982 d'un des plus importants fournisseurs, W.H. Perron, offre à lui seul cinquante variétés de tomates!!

Comment choisir vos variétés

En premier lieu, respectez les caprices de dame nature… L'été est court! Choisissez donc les variétés les plus hâtives. Une variété tardive produit beaucoup plus tard et risque d'arriver à son plein rendement au moment où les premiers gels viendront la surprendre. Une variété hâtive aura pour sa part eu tout le temps nécessaire pour produire le maximum de fruits avant les gels, et une bonne récolte viendra récompenser tous vos efforts (voir «La fleur est-elle fécondée?» au chapitre sur la reproduction).

Pour effectuer ce choix, consultez les catalogues. Vous y trouverez un nombre de jours inscrit à côté des noms des variétés.

- Dans le cas des légumes dont le cycle de croissance est court, ce nombre de jours indique le temps requis entre le semis et la première récolte. Ces légumes sont semés directement au potager (ex.: pois, haricots).

- Dans le cas des légumes ayant un cycle de croissance long, le nombre de jours indique le temps entre la transplantation à l'extérieur et la première récolte. Ces légumes sont semés à l'intérieur (ex.: tomates).

En deuxième lieu, basez votre choix sur les gagnants de médailles «All America». Il existe une organisation formée d'experts qui parcourent une cinquantaine de jardins expérimentaux situés à travers le Canada et les États-Unis. Leur but est d'évaluer

les nouveaux légumes et fleurs présentés par les producteurs de semence et les universités.

Sur cent inscriptions, quatre ou cinq reçoivent la médaille «All America». Vous pouvez donc faire confiance à ces sélections. Elles s'adapteront facilement à votre climat et sont les meilleures dans leur classe.

Un troisième point à considérer est la sélection appelée «hybride». Bien que certaines variétés dites «ordinaires» soient excellentes, les sélections «hybrides» sont souvent supérieures. L'hybride est un croisement de deux variétés

sélectionnées donnant naissance à une nouvelle variété améliorée:

meilleure production, résistance à plusieurs maladies, plant plus uniforme.

Faites des essais, puis notez sur une fiche l'évolution de chacun de vos plants.

Pour obtenir de bons résultats

Les conditions à respecter pour réussir vos ensemencements sont les suivantes:

- Bonne circulation d'air, en évitant cependant les courants d'air.

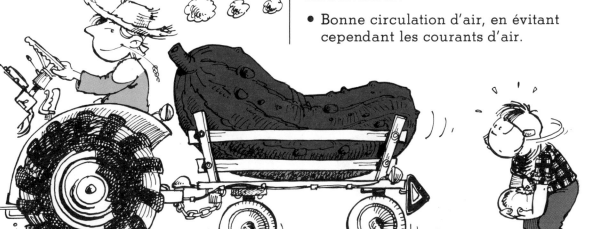

- Température d'environ 20°C. Une température inférieure à 16°C provoquera une maladie fréquente des semis, appelée la fonte.

- Humidité constante.

- Utilisation d'un bon terreau. Servez-vous de vermiculite ou de *Readi-Earth.* Ce dernier est un mélange de vermiculite, sphaigne et vitamines. L'emploi de ces substances favorise la germination, car elles sont dépourvues d'organismes pouvant causer des maladies.

Voici maintenant la démarche à suivre :

- Remplissez le contenant de vermiculite ou de *Readi-Earth.* Arrosez avec de l'eau tiède et attendez que l'eau

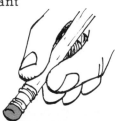

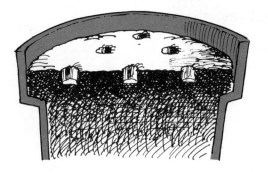

ait pénétré uniformément avant de semer.

- À l'aide d'un crayon, tracez le nombre voulu de sillons ou de trous d'environ 5 mm de profondeur. Cette profondeur peut varier, car généralement, il faut semer à une profondeur égale à trois fois la grosseur de la semence. Semez ensuite en laissant 2,5 cm entre chaque graine.

- Recouvrez légèrement du mélange choisi, puis vaporisez de l'eau tiède en surface à l'aide d'une bouteille munie d'un vaporisateur.

- Identifiez soigneusement chaque semence.

- Maintenez l'humidité à l'aide de cellophane (*Saran wrap* ou autre), d'une vitre ou d'un sac de plastique recouvrant le récipient de semences. Laissez cependant une ouverture pour permettre la circulation d'air, selon un des modes suivants :

— Percez quelques trous dans

la pellicule de cellophane recouvrant votre pot.

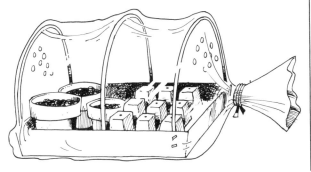

— Maintenez un des côtés de la vitre surélevé à l'aide d'un morceau de bois ou autre.

— Si vous utilisez un sac de plastique maintenez-le en place à l'aide de broches ou d'un cintre de métal arrondi, et percez-y quelques trous.

• N'arrosez plus avant l'apparition des pousses.

• Gardez vos contenants à la température de la pièce (20°C).

Les contenants

Une bouteille vide d'eau de javel, un contenant en carton pour le lait, ou presque tous les récipients vides que vous avez sous la main, peuvent servir à préparer vos semis. Percez le fond de ces contenants pour laisser le surplus d'eau s'égoutter.

Vous pouvez laisser les rayons du soleil réchauffer la terre; ceci stimulera la germination et créera le climat d'une serre. Vous remarquerez alors la formation de buée sur le couvercle.

L'éclairage

L orsque vos semences ont germé, il est temps de les placer à environ 20 cm

d'une lumière artificielle. Deux tubes fluorescents (un «daylight» et un «cool light» de 40 watts chacun) donnent d'excellents résultats et sont peu dispendieux. Donnez à vos semences 16 heures de lumière et une température de 20°C, puis, durant les huit heures de repos, laissez la température descendre jusqu'à 15°C environ.

20 cm

Installez votre éclairage à l'aide de chaînes que vous pourrez facilement ajuster à mesure que vos plants grandiront, gardant toujours 20 cm entre la feuille la plus haute et la lumière.

Si vous devez placer vos jeunes plants sur le bord d'une fenêtre, choisissez la plus ensoleillée. Vous observerez cependant un phénomène d'allongement de la tige, vous donnant l'impression que la plante est attirée par la lumière.

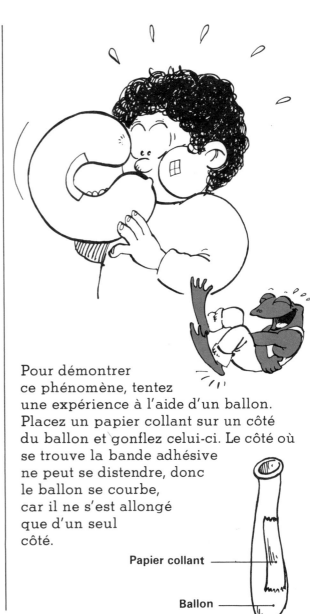

Ceci est dû au fait que les cellules qui sont à l'ombre allongent plus vite que celles qui sont au soleil, ce qui fait courber la plante. Vous devrez tourner le pot deux ou trois fois par jour pour obtenir une croissance uniforme.

Pour démontrer ce phénomène, tentez une expérience à l'aide d'un ballon. Placez un papier collant sur un côté du ballon et gonflez celui-ci. Le côté où se trouve la bande adhésive ne peut se distendre, donc le ballon se courbe, car il ne s'est allongé que d'un seul côté.

Papier collant —

Ballon —

Le repiquage

Vos plants sont prêts à être repiqués lorsqu'ils ont formé leurs deux «vraies» feuilles. Celles-ci ressembleront aux «vraies» feuilles d'un plant adulte, mais en plus petit. Les premières feuilles que vous observerez seront de forme arrondie ou allongée selon l'espèce cultivée.

Si vous avez choisi de partir vos semences directement dans des pots de tourbe, vous n'aurez pas à repiquer à ce stade de la croissance. Vous aurez sans doute semé plusieurs graines dans le même contenant: vous devrez garder le plus fort et enlever les autres.

Vous obtiendrez sûrement de bons résultats en prenant des pots de plastique de 8 cm de diamètre ou une boîte pouvant contenir plusieurs plants. Cependant, nous recommandons de repiquer en pots de tourbe. Les racines transperceront les parois du pot et y trouveront des vitamines favorisant la croissance. De plus, au moment où vous transplanterez vos plants à l'extérieur, vous n'aurez qu'à insérer le pot dans le sol, ce qui évite un choc aux racines. Vos plantes s'adapteront plus vite à la vie au grand air. Rappelez-vous que plus vous évitez des traumatismes à vos plants, plus vite ils vous offriront leurs fruits.

Voici comment procéder:

Remplissez le contenant de terreau synthétique. Arrosez avec de l'eau tiède. À l'aide d'un crayon, pratiquez une ouverture suffisamment profonde pour loger les racines du jeune plant (environ 5 cm).

Avant de retirer le plantule du vermiculite, arrosez abondamment; il vous sera ainsi plus facile de retirer le plant sans briser les racines. Maintenez délicatement une feuille entre le pouce et l'index de la main gauche, tandis qu'avec la main droite vous introduisez le manche d'une

cuillère à environ 2 cm du plant
à repiquer afin de le pousser
hors du pot.

Installez-le dans son nouveau milieu,
pressez légèrement la terre autour
de la tige, puis arrosez doucement
avec de l'eau tiède pour stabiliser
la terre autour des racines.

Continuez d'assurer à vos plantules
16 heures de lumière par jour
et une température fraîche
la nuit.

L'arrosage

U ne bonne façon d'aider vos plants
à lutter contre
la sécheresse

régnant dans nos maisons, est de
vaporiser le feuillage des plants
à l'aide d'une bouteille munie
d'un vaporisateur.

Vaporisez chaque matin le feuillage
de vos plants. Ceci augmente
l'humidité autour des plants,
enlève la poussière

et garde le feuillage propre.
La vaporisation apportant beaucoup
d'humidité, vous aurez donc à
arroser moins souvent le sol.

Le sol, s'il est continuellement rempli
d'eau, ne fournit pas aux racines
l'oxygène dont elles ont besoin;
elles ne peuvent donc
pas respirer.

Cultivez toujours vos plants dans des
contenants pouvant s'égoutter;
si vous arrosez trop, le surplus d'eau
s'échappera du pot.

Enfin, avant d'arroser, assurez-vous
que la terre est bien sèche. Si vous
n'êtes pas certain, remplacez
l'arrosage par une bonne vaporisation
du feuillage. Vous arroserez un autre
jour.

Après avoir laissé sécher la terre,
arrosez en profondeur avec de l'eau
tiède.

Pourquoi de l'eau tiède?

Imaginez votre réaction lorsque vous
mettez vos pieds dans l'eau froide...
Quelle désagréable sensation!!!
Vos plantes réagissent de la même
façon que vous.

Que signifie un arrosage en profondeur ?

Arrosez abondamment avec de l'eau tiède jusqu'à ce qu'elle s'égoutte dans la soucoupe. Si la terre absorbe rapidement toute l'eau que contenait la soucoupe, ajoutez encore un peu d'eau, jusqu'à ce que la terre n'en absorbe plus. Au bout d'une demi-heure, jetez le surplus d'eau accumulé dans la soucoupe, puis laissez sécher à nouveau le sol.

Les engrais

L'abondance d'éléments nutritifs dans le sol facilite la croissance de vos plants. Les trois principaux éléments sont l'*azote*, le *phosphore* et la *potasse*.

Vous pouvez en ajouter à vos plants sous forme d'engrais chimique ou organique.
Le pourcentage de chacun des éléments est indiqué sur le contenant : par exemple, 23-19-17 signifie 23% d'azote (N), 19% de phosphore (P) et 17% de potasse (K).

Il vaut généralement mieux réduire un peu les fréquences d'applications indiquées sur l'emballage.

Effets des engrais

Azote .... feuillage vert
Phosphore ... bon système de racines
Potasse .... formation des fleurs

Utilisez de préférence un engrais soluble dans l'eau. Il est vite absorbé par les racines et donne des résultats dans la première semaine suivant l'application.

Si vous préférez les engrais organiques, vous obtiendrez d'excellents résultats avec l'émulsion de poisson et les algues liquides. Appliquez-en au moment du repiquage, puis une fois chaque trois semaines, à raison d'une cuillerée à thé (5 ml) par litre d'eau tiède. Lorsque vous transplanterez vos plants à l'extérieur, faites une autre application pour faciliter l'installation des racines. Vous diminuerez ainsi le «choc de transplantation».

Cette fréquence d'utilisation des engrais est valable pour vos jeunes plants installés sous une lumière artificielle durant 16 heures. Elle se justifie aussi parce que vos plantules sont en pleine croissance et qu'elles se préparent à fleurir pour, plus tard, donner des légumes.

L'engrais chimique soluble dans l'eau s'applique de la même façon. Le type 20-20-20 vous donnera satisfaction. Assurez-vous avant de fertiliser vos plants que le sol est légèrement humide, car l'engrais chimique brûle les racines si le sol est complètement sec. Ceci ne se produit pas avec l'engrais organique.

L'adaptation à la vie au grand air

A vant d'installer vos plants définitivement au jardin, il faut les «endurcir».

Rappelez-vous les effets du soleil sur votre peau trop longtemps exposée au début de l'été dernier...
Les plantes, comme vous, sont sensibles aux premiers rayons du soleil, et en plus vous ne pouvez les protéger à l'aide d'une crème anti-solaire!

Deux semaines avant de les transplanter, habituez-les progressivement à leur futur milieu.

- Choisissez une journée sans vent, à moins que vous puissiez les protéger.

- Assurez-vous que la terre du pot est bien humide. Rappelez-vous qu'au grand air, le feuillage transpire plus qu'à l'intérieur (voir «la transpiration» dans le chapitre «La plante, un être vivant»).

- Pour les premières sorties, installez vos plants à l'ombre pour, graduellement, les placer au soleil. Observez bien leur réaction. Si le feuillage s'amollit trop, transportez-les à nouveau à l'ombre car la chaleur et les rayons du soleil les affectent trop.

- Laissez-les prendre l'air durant cinq ou six heures chaque fois. Ne les laissez pas dormir dehors : une gelée tardive pourrait les détruire. Remettez-les dans le milieu auquel ils sont habitués après chaque sortie.

- Après huit ou neuf sorties, vous remarquerez que vos plants ne flétrissent plus sous les rayons du soleil. Vous les avez endurcis.

La préparation du sol

Choisissez un site ensoleillé. Si la terre n'a pas été travaillée depuis plus de deux ou trois ans, il vous serait utile de louer un rotoculteur. Pour quelques dollars, cet appareil vous épargnera temps, courbatures et ampoules. Les saisons suivantes, la terre sera facile à retourner avec une pelle.

Si votre site est trop petit pour justifier la location d'un rotoculteur, ou si tout simplement vous choisissez d'économiser cet argent pour acheter des semences ou un râteau, retournez bien la terre avec une pelle et enlevez les racines en tranchant avec soin les mottes de terre avec le côté de la pelle.

TCHAK

Votre terre s'en trouvera ainsi allégée et aérée. Cette étape est importante, car si le sol est trop compact, les racines auront de la difficulté à bien s'implanter. Vous subirez des retards, voire même une baisse de production dans le cas des carottes, betteraves, pommes de terre ou de toute autre racine comestible.

Il est possible que votre sol ait besoin d'être amendé, c'est-à-dire amélioré. Un sol trop sablonneux se dessèche rapidement tandis qu'un sol argileux retient trop l'humidité. Il faudra donc ajouter des matières organiques (compost ou fumier bien décomposé).

Vous profiterez de l'occasion pour incorporer un engrais de type 5-10-5 à la surface du sol. Si vous avez préparé du compost (voir chapitre «Un jardin naturel», section compostage), c'est au printemps qu'il faut l'ajouter au sol.

La transplantation définitive

Dès l'apparition des beaux jours, vous serez tenté d'installer vos plants au jardin. Attention! Le mois de mai a déjà connu des gelées tardives. Bien qu'il soit difficile d'établir une date fixe, surveillez la date de la pleine lune du mois de mai. Les dangers de gels sont plus à craindre à ce moment.

À l'aide d'une pelle de jardin, creusez un trou suffisamment grand pour installer votre plant. Si vous avez cultivé en pot de tourbe, placez-le tel quel en terre. Arrosez avec l'engrais de votre choix tel qu'expliqué à la section des engrais. Recouvrez ensuite de terre.

Choisissez si possible une journée nuageuse. Sinon, attendez vers 16 heures, au moment où le soleil est moins ardent. Vos nouvelles transplantations éviteront ainsi une première journée trop ensoleillée. Arrosez copieusement en soirée ou tôt le lendemain matin.

4.
DES LÉGUMES...
PRESQUE
SUR VOTRE TABLE

Le tableau des pages suivantes indique la durée germinative de vos semences. Vous réaliserez qu'une enveloppe contient souvent trop de graines pour une seule saison. Or les graines se conservent entre deux et huit ans selon le cas (voir «Durée germinative»). Fermez le paquet hermétiquement avec une bande adhésive et utilisez les graines l'an prochain.

La colonne «Temps de germination» vous indique le temps que vous aurez à patienter entre le moment où vous avez semé et celui où apparaîtront vos premières pousses. S'il s'agit d'un piment, par exemple, vous pourriez attendre jusqu'à 20 jours.

Certains légumes dont le cycle de croissance est long nécessitent d'être ensemencés à l'intérieur avant même que la neige nous ait quittés. Dans ces cas, la «Date du semis intérieur» et celle de la «Transplantation extérieure» sont indiquées.

Par contre, certains légumes ont un cycle de croissance très rapide et peuvent être mis directement au potager.

La «Date du semis extérieur» est alors indiquée.

Pour d'autres légumes, vous remarquerez que nous avons indiqué une «Date du semis intérieur», et une pour le «Semis extérieur». C'est le cas des concombres, des oignons et du persil. Ces légumes ont un cycle suffisamment court pour arriver à maturité sous notre climat. Certains jardiniers, voulant hâter la récolte, commencent leur croissance à l'intérieur.

SEMIS INTÉRIEUR   SEMIS EXTÉRIEUR

PETITS DÉTAILS...

Légume	Distance des plants	Distance des rangs	Durée germinative	Temps de germination
Ail	10 cm	20 cm	—	5-10 jrs
Arachide	30 cm	50 cm	—	5-15 jrs
Aubergine	45 cm	75 cm	6 ans	7-14 jrs
Basilic	30 cm	40 cm	—	5-10 jrs
Betterave	10 cm	30 cm	6 ans	7-10 jrs
Brocoli	36 cm	60 cm	5 ans	3-10 jrs
Carotte	8 cm	30 cm	4 ans	10-17 jrs
Chou d'été	36 cm	60 cm	5 ans	4-10 jrs
Chou d'automne	36 cm	60 cm	5 ans	4-10 jrs
Chou d'hiver	36 cm	60 cm	5 ans	4-10 jrs
Chou de Bruxelles	36 cm	60 cm	3-5 ans	3-10 jrs
Chou-fleur	36 cm	60 cm	3-5 ans	4-10 jrs
Concombre	30 cm	90 cm	5 ans	6-10 jrs
Échalotte	12 cm	30 cm	—	5-10 jrs
Épinard	8 cm	25 cm	3-5 ans	6-14 jrs
Fraise	30 cm	45 cm	—	5-10 jrs
Haricot	8 cm	45 cm	3-5 ans	8-10 jrs
Laitue pommée	30 cm	50 cm	5 ans	4-10 jrs
Laitue en feuille	20 cm	40 cm	5 ans	4-10 jrs
Oignon	15 cm	30 cm	2 ans	7-12 jrs
Piment	40 cm	60 cm	3-5 ans	10-20 jrs
Poireau	15 cm	30 cm	2 ans	7-12 jrs
Pois mangetout	5 cm	50 cm	3 ans	6-15 jrs
Pomme de terre (semence)	3 plants par butte 30 cm entre les buttes	45 cm	—	10-15 jrs
Pommes de terre (Tubercules)	40 cm	75 cm	—	5-12 jrs
Radis	8 cm	20 cm	3-5 ans	3-10 jrs
Tomate	60 cm	90 cm	4 ans	5-14 jrs

GRANDS LÉGUMES

Date du semis intérieur	Date de la transplantation extérieure	Date du semis extérieur	Exposition à la lumière
—	—	Fin avril (gousses)	Soleil
Début mars	Début juin	—	Soleil
Début avril	Début juin	—	Soleil
En toutes saisons	Fin mai	Fin mai	Soleil
—	—	Fin avril	Soleil / mi-ombre
Début mars	Début mai	Fin avril	Soleil
—	—	Fin avril	Soleil
Mi-mars	Début mai	—	Soleil et fraîcheur
Début avril	Début mai	—	Soleil et fraîcheur
—	—	Début mai	Soleil et fraîcheur
Début mars	Début mai	—	Soleil
Début mars	Début mai	Fin avril	Soleil
Fin avril	Début juin	Fin mai	Soleil
—	—	Fin avril (graines ou caïeux)	Soleil
—	—	Fin avril	Mi-ombre
Début mars	Fin avril	—	Soleil
—	—	Fin mai	Soleil
—	—	Fin avril	Mi-ombre
—	—	Fin avril	Mi-ombre
Mi-mars	Début mai	Début mai	Soleil / mi-ombre
Mi-mars	Début juin	—	Soleil
Début mars	Début mai	Fin avril	Soleil / mi-ombre
—	—	Début mai	Soleil / mi-ombre
Fin mars	Début juin	—	Soleil
—	—	Début mai	Soleil
—	—	Début mai	Soleil / mi-ombre
Mi-mars	Début juin	—	Soleil

Les pages suivantes complètent le tableau «Petits détails… grands légumes». Elles décrivent le caractère de vos légumes, leur façon de vivre et de se reproduire. Puisqu'ils sont différents les uns des autres, ils ont des exigences particulières à leur espèce.

Nous avons au besoin suggéré un type d'engrais et de sol, puis, signalé la «touche verte» à apporter au bon moment. Dans certains cas, un moyen naturel vous est suggéré pour combattre les insectes nuisibles.

Enfin, le «Choix du prof» vous indique les variétés expérimentées au potager du professeur Scientifix.

L'arachide

L'arachide est une légumineuse dont le mode de reproduction est très intéressant à observer. Les tiges, sortant de terre, produisent de petites fleurs jaunes. Lorsque les fleurs sont fanées, les tiges se dirigent vers le sol et s'y introduisent pour donner naissance à l'arachide.

C'est une plante tropicale à croissance lente. Pour pouvoir récolter ses fruits sous notre climat, il est nécessaire de semer l'arachide à l'intérieur au début de mars pour la transplanter à l'extérieur vers la fin de mai. Semez en pots de 15 cm de diamètre à 2,5 cm de profondeur et en laissant 5 cm entre chaque semence.

Vers la mi-octobre, arrachez les plants, récoltez les arachides, lavez les écales pour enlever la terre, puis laissez sécher. Avant de les déguster,

rôtissez-les au four à 150°C durant trente minutes. Brassez-les souvent.

Le choix du prof

• Hâtive prolifique

L'ail

S emez en pleine terre en avril, aussitôt que la terre peut se travailler. Prenez les gousses du pourtour et plantez-les de façon à ce que la pointe soit visible. L'ail ne gèle pas. À l'automne, laissez la plante en terre; elle commencera à grossir la deuxième année.

L'ail exige beaucoup de phosphore; vous auriez avantage à utiliser un engrais du type 5-10-5, ou encore de la poudre d'os.

L'ail s'adapte facilement à la culture en pot

sur le bord d'une fenêtre ensoleillée. Ses tiges peuvent être utilisées comme celles de la ciboulette pour assaisonner les soupes ou les salades. Avant de couper le feuillage, assurez-vous qu'il est assez abondant pour permettre la regénération.

Le choix du prof

- Ail géant importé
- Ail vendu au supermarché

L'aubergine

L es plants s'adaptent très bien à la culture en contenants. L'aubergine étant très sensible au froid, installez-la près d'un mur exposé au soleil du midi.

Utilisez un pot d'environ 38 cm de diamètre et ajoutez à votre terreau un engrais riche en potasse pour favoriser la formation des fleurs, donc la production des fruits.

Le choix du prof

- Fruits pourpres ....Hybride Dusky
- Fruits blancs .... Oeufs de Pâques

Le basilic

C'est une plante condimentaire très recherchée, qui protège les plants de tomates contre les insectes et transmet un léger parfum aux fruits.

Une curieuse anecdote s'attache au basilic. Les Romains persuadés que l'on pouvait parler aux plantes considéraient le basilic obstiné et désobéissant; aussi au lieu de le flatter, ils l'insultaient et priaient pour qu'il ne pousse pas.

Le basilic s'adapte bien à la culture en pots. Vous pourriez le cultiver à l'intérieur durant l'hiver sur le bord d'une fenêtre ensoleillée, à la condition d'asperger le feuillage à l'eau tiède.

Le choix du prof

- Basilic Grand Vert
- Dark Opal (à feuillage pourpre très décoratif)

La betterave

S emez en pleine terre en avril, aussitôt que le sol peut se travailler. Quelques semaines après le semis, distancez les plants en laissant 10 cm entre chacun.

Vous pouvez repiquer les plantules que vous enlevez en formant un second rang à 30 cm de distance du précédent.

Les jeunes feuilles se mangent comme les épinards.

La betterave et la laitue cultivées en rangs alternés font un très bel effet au potager.

Le choix du prof

- Ruby Queen (ronde)
- Formanova (allongée mesurant jusqu'à 15 cm)
- Miniature (de 5 à 7 cm de diamètre), idéale pour la culture en contenants

Le brocoli

L e brocoli, qui appartient à la famille des choux, ne craint pas les gels légers du mois de mai. Il peut donc être installé à l'extérieur dès la mi-mai, à un endroit où le soleil règne.

Son pire ennemi est la piéride du chou, un papillon jaune, parfois blanc. Il laisse des traces de sa présence par de petites boules noires sur les feuilles. Quelques plants de capucines ou de menthe cultivés autour des brocolis aideront à les protéger.

Récoltez les têtes avant que les fleurs jaunes s'épanouissent. Vous aurez la chance de manger du brocoli frais

58

AIMEZ-VOUS
LE BROCOLI ???

L a carotte contient beaucoup de vitamines, surtout crue ou en jus.

Si vous choisissez une variété longue, procurez-lui un sol léger, peu compact. Dans un sol lourd, la croissance serait interrompue et vous auriez de la difficulté à cueillir vos légumes.

Une variété plus courte, comme « Little Finger » (7 cm de long), est idéale pour la culture en contenants.

Vous pourrez la mettre en conserve sans avoir à la trancher.

tout l'été car, après la première coupe, il produit de nouvelles pousses jusqu'à l'automne.

Le choix du prof

- Hybride Premium Crop

Le choix du prof

- Nantaise longue «Duke» (17 cm de longueur)
- Little Finger (7 cm)

La carotte

Le chou

Le chou préfère un sol légèrement sablonneux et, surtout, bien drainé. La terre noire retient trop l'eau, ce qui provoque le craquement des pommes. Il exige beaucoup d'azote et de potasse. Un mois après la plantation à l'extérieur, saupoudrez le sol avec de l'azote pur. Vous en trouverez dans le marché sous le nom de «nitrate d'ammonium».

Le choix du prof

- Hybride Minicole
- Hybride Ruby Ball

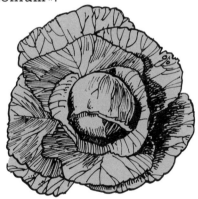

Un excès d'eau fera fendiller les choux. Espacez alors les arrosages.

Si le problème persiste, prenez le chou entre vos mains, et faites-lui faire un demi-tour. Vous briserez ainsi quelques-unes des racines, ce qui diminuera l'absorption de l'eau.

Le chou de Bruxelles

Les petits choux apparaissent sur la tige centrale, juste au-dessus d'une feuille.

À mesure que les choux grossissent, enlevez la feuille, en la poussant vers le sol. Le chou n'aura plus d'obstacles et poursuivra sa croissance.

Vous commencerez votre récolte par le bas, à mesure que les petits choux seront bien formés. Ceci n'empêchera pas la croissance des choux situés au haut de la tige.

Le choix du prof

- Hybride jade « E »

Le chou-fleur

Bien que faisant partie de la famille des choux, le chou-fleur est plus délicat à cultiver.

Pour garder la fleur d'un blanc immaculé, il faut absolument la protéger de la lumière en ramenant les feuilles au-dessus de la fleur.
Si le feuillage est insuffisant, il faut avoir recours à du papier journal.

Essayez une variété à feuillage auto-recouvrant qui protège mieux la fleur.

Tentez l'expérience avec deux ou trois variétés.

Le choix du prof

- White summer
  (tolère bien les chaleurs)

- White top (pour récolte d'automne)

Le concombre

S i vous commencez à faire pousser
vos concombres à l'intérieur,
il faudra utiliser les pots de tourbe,
car ce légume ne supporte pas du tout
la transplantation.

À la fin du mois d'avril, semez trois
graines par pot et gardez le plant
le plus fort.

Vous pouvez aussi semer en pleine
terre, à la fin du mois de mai, mais
vous commencerez à récolter un mois
plus tard qu'avec la méthode précédente.

Pour économiser l'espace au potager,
faites grimper les vignes le long d'un
treillis. Vos concombres seront à l'abri
de l'humidité du sol et exempts
de terre.

Le concombre s'adapte très bien
à la culture en panier suspendu.
Choisissez cependant une variété
adaptée à ce mode de culture.

Le choix du prof

- Hybride Slice master
- Hybride Patio Pik } pour la culture
- Hybride Pot Luck } en contenants

L'échalotte

L 'échalotte se cultive à l'extérieur
comme l'oignon, mais nous
attirons plutôt votre attention sur la
culture à l'intérieur.

Suivez la méthode expliquée pour
l'ail. Cependant, au moment de la
plantation, il faudra tailler la tige
à environ 7 cm du bulbe pour
permettre aux racines de reprendre
vie.

L'échalotte vivra bien sur le bord
d'une fenêtre ensoleillée.

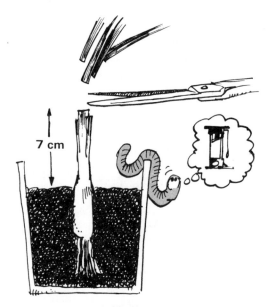

7 cm

Tout comme pour l'ail, vous pourrez en couper le feuillage pour assaisonner omelettes, pommes de terre en purée, soupes ou sauces.

Le choix du prof

- L'échalotte achetée au supermarché

L'épinard

L e principal point à surveiller dans la culture de l'épinard est le suivant: il monte vite en graines avec l'arrivée des chaleurs et l'augmentation de la clarté des jours.

Au printemps, au début de la croissance, il est soumis à des températures fraîches. Dès que la température se réchauffe et que les jours allongent, il monte en graines. Le feuillage est alors limité puisque le plant consacre toutes ses énergies à fabriquer des semences en vue de se reproduire.

Ce phénomène ne se rencontre pas à l'automne alors que les jours sont plus courts et la température plus fraîche.

Choisissez une variété qui résiste aux chaleurs et à la sécheresse.

Le choix du prof

- Merveilleux
- Hybride mélodie
- Hybride symphonie

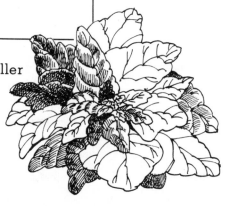

La fraise

Nous vous parlerons uniquement de la variété «Quatre-saisons-Race Vallo».

Cette variété de fraises a pour heureuse caractéristique de produire dès la première année.

La production commence en juin-juillet pour se terminer tard à l'automne. Quelle merveilleuse façon de prolonger le «temps des fraises»! Vous dégusterez ces petites fraises au goût délicieux de «fraise des champs» durant toute la saison estivale.

Un autre avantage pour les potagers réduits: elle ne forme pas de stolons rampants pour se reproduire. De ce fait, les plants peuvent être cultivés à 30 cm de distance les uns des autres et s'adaptent sans problème à la culture en contenants.

Si vous prenez bien soin de votre plantation, elle produira de plus en plus chaque année. À l'automne, protégez vos fraisiers en les recouvrant de paille ou de branches de sapin.

Pour obtenir une récolte hâtive, installez au printemps une feuille de plastique transparent au-dessus de vos fraisiers. Surveillez l'humidité du sol et gardez une ouverture pour permettre la circulation de l'air. Vous récolterez de cette manière vos premières fraises vers la fin de mai.

Enlevez la feuille de plastique aussitôt que les beaux jours sont revenus. Partez vos plants à l'intérieur vers le 15 mars, de préférence en pots de tourbe.

Vos plants pourront être transplantés à l'extérieur à la fin d'avril.

Le haricot

Semez à l'extérieur vers la fin du mois de mai, en prenant soin d'échelonner les semis aux quinze jours, et ce jusqu'à la mi-juillet. Vous pourrez ainsi apprécier la saveur de bons haricots frais jusqu'à la fin de septembre.

Si votre récolte est trop abondante pour votre consommation hebdomadaire, vous auriez intérêt à les congeler.

Une façon naturelle de combattre les insectes qui nuiraient à vos haricots: cultivez quelques plants de géraniums à leurs côtés.

Évitez de cueillir les haricots par temps humide; il y aurait risque de rouille, une maladie causée par un champignon qui fait apparaître des taches brunes ou jaunes sur les tiges et les feuilles.

Le choix du prof

- Cosses vertes : { Contender
  Strike

- Cosses jaunes : { Golden Sands
  Moongold

La laitue

Semez à l'extérieur dès que le sol peut se travailler, jusqu'à la mi-juin. Reprenez les semences vers la mi-août, pour récolte à l'automne.

Comme pour l'épinard, l'arrivée des chaudes journées d'été incite la laitue à fleurir.

Des légumes… presque sur votre table

65

Choisissez une variété à floraison lente. Si le soleil brille sur votre potager toute la journée, cultivez-la à l'ombre d'un autre légume.

Elle pousse très rapidement. Essayez de planifier vos semis de façon à récolter tout juste le nombre de plants que vous consommez dans une semaine. Vous pourriez faire vos semis à toutes les deux semaines.

Au moment d'éclaircir vos plants, laissez environ 25 ou 30 cm entre chacun.

Vous obtiendrez une deuxième récolte de laitue frisée si vous prenez soin de laisser les racines en place.

Le choix du prof

- Butter King
- Boston vert foncé
- Salad Bowl

Le piment

Le piment est notre préféré pour la culture en contenants. Il est très décoratif par son feuillage luisant et ses fruits verts, rouges ou jaunes, selon la variété choisie, évidemment. Une particularité intéressante à noter: lorsque le plant est garni de beaucoup de fruits, la floraison est retardée jusqu'à ce que vous en récoltiez quelques-uns. De cette façon, il se protège d'une surcharge.

Si vous récoltez trop de fruits, vous pourrez très bien les conserver en les congelant.

Le choix du prof

- Hybride Gipsy • Hybride Green Boy
- Sweet banana (jaune)
- Long rouge étroit cayenne

L'oignon et le poireau

Vous pouvez semer les oignons et les poireaux vers la mi-mars, dans une boîte de bois comme celles qu'utilisent les pépiniéristes pour vendre leurs plants au printemps. Suivez la technique expliquée au chapitre sur les semis intérieurs puis, lorsque les pousses mesurent environ 5 cm, éclaircissez en laissant 2 cm entre chaque plant, et 4 cm entre les rangs.

Une température assez fraîche (15°C) donnera d'excellents résultats.

Lorsque les plants sont bien adaptés à leur milieu, coupez le feuillage à 4 cm du sol. Ceci permettra aux plants de former leur bulbe. Chaque fois qu'ils commencent à trop grandir, coupez-les à nouveau à 4 cm du sol, jusqu'à ce que la température vous permette de les transplanter à l'extérieur, vers la fin du mois d'avril, dans une terre riche en matière organique. Vous laissez alors 15 cm entre chaque plant et 30 cm entre les rangs.

Si vous décidez de semer directement à l'extérieur, vous pouvez le faire entre la mi-avril et la mi-mai. Semez à une profondeur de 5 mm et recouvrez de vermiculite. Arrosez délicatement pour ne pas déplacer vos semences. Trois semaines plus tard, éclaircissez en respectant les distances indiquées plus haut.

Dans le cas des poireaux, renchaussez-les de façon à obtenir la plus grande partie blanche possible, dès qu'ils auront atteint 31 cm de hauteur.
À l'automne, tentez une expérience: laissez deux ou trois bulbes

d'oignons en terre et observez
les belles boules de fleurs
qu'ils produiront vers la fin de juin
l'année suivante.

Le choix du prof

- Oignon Simco
- Poireau Helvetia

Le pois mangetout

Si vous aimez les mets chinois,
vous avez sans doute eu l'occasion
de goûter aux pois mangetout.
Contrairement aux autres variétés,
on «mange tout»: cosse et pois.
Cueillez les cosses en commençant
par le bas du plant, dès que les pois
commencent à s'arrondir. Si vous
retardez, les pois seront tendres,
mais les cosses seront coriaces.

Semez vos pois, au début de mai, dans
une terre qui s'égoutte bien. Creusez
une tranchée d'environ 10 cm de
profondeur. Saupoudrez un engrais
riche en phosphore et en potasse
(5-20-20). Un surplus d'azote
favoriserait le développement du
feuillage et nuirait à la production des
fleurs et des fruits. Enterrez votre rang
d'engrais de 5 cm de terre. Il vous
reste alors une tranchée d'environ

5 cm pour semer. Vos semences de
pois ou de haricot ne doivent pas
entrer en contact avec l'engrais. Leurs
jeunes racines sont sensibles aux
brûlures causées par les engrais
chimiques (voir section sur les
engrais):

Pour éclaircir, laissez 10 cm entre
chaque plant et 60 cm entre les rangs.
Installez un treillis sur chaque rangée
cultivée. L'idéal est de planter deux
bouts de bois d'environ 1,5 m de
hauteur sur lesquels vous fixez de la
broche à poule. Vos plants y
grimperont facilement.

Les mangetout peuvent être consommés
crus en hors-d'œuvre ou sautés
au beurre.

Le choix du prof

- Sugar Snap

La pomme de terre

Les pommes de terre peuvent être semées à l'extérieur lorsque la température du sol atteint 10°C. Coupez votre pomme de terre en quartiers, de façon à ce qu'il y ait un bourgeon sur chacun. Semez vos

morceaux de pomme de terre en installant le côté coupé vers le bas (bourgeon vers le haut). Laissez 40 cm entre chaque plant et 75 cm entre les rangs.

Les pommes de terre ne se développent pas sur les racines. Les jeunes patates se forment autour des tiges souterraines. C'est pourquoi il faut ramener la terre en butte (renchausser) autour du plant dès que les fleurs apparaissent: le plant atteint environ 30 cm à ce moment.

Les jeunes légumes doivent être protégés de la lumière. À son contact, ils deviendront verts et impropres à la consommation.

À noter que W.H. Perron offre cette année (1982) une nouvelle façon de

cultiver les pommes de terre en utilisant des semences. Il s'agit de la variété «Explorer». Nous en ferons l'expérience cet été.

Le choix du prof

- Une pomme de terre ordinaire germée
- Explorer

Le radis

Les radis poussent très vite. En effet, vous pourrez les croquer quatre semaines après les semis. Pour une récolte continuelle, semez tous les dix jours dès la mi-mai.

Économisez l'espace de votre potager en semant vos radis entre vos plants de betteraves, carottes ou laitues. Vous aurez digéré vos radis bien avant que ces légumes arrivent à à maturité.

Vous aurez plus de succès avec cette culture au printemps et à l'automne car les radis préfèrent les jours courts et une température fraîche.

Avant de semer, engraissez le sol avec un engrais riche en phosphore et en potasse (5-20-20).

Les radis sont tout indiqués pour la culture en contenants.

Le choix du prof

- Cooper Sparkler (rond - rouge)

- Glaçon (de forme allongée - blanc)
- Déjeuner français (de forme allongée - base blanche, haut rouge)

La tomate

L a culture des tomates est sans aucun doute la favorite des jardiniers.

Vous avez le choix entre la croissance *déterminée* ou *indéterminée.*

La tige principale du plant «*déterminé*» porte des fruits, ce qui détermine sa croissance à cette hauteur. Des tiges secondaires se forment et portent aussi des fruits. Les plants poussent en forme de buisson et ne nécessitent pas d'être tuteurés ou taillés. En les taillant, vous risqueriez d'enlever des tiges productrices.

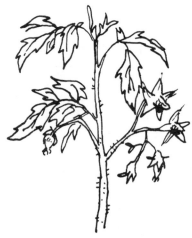

La tige principale du plant «*indéterminé*» ne porte pas de fruits. Elle pourrait grandir longtemps si les gelées n'interrompaient pas sa croissance. Vous devez tuteurer ces plants pour empêcher que le vent les brise ou que le poids des tomates les fasse tomber.

Choisissez un tuteur mesurant environ 1,5 m et mettez-le en place au moment de la plantation. Attachez la tige au fur et à mesure qu'elle grandit. Si vous décidez de garder deux tiges au lieu d'une, fabriquez-vous un tuteur double.

Évitez d'attacher vos plants avec une corde ou avec des bandes de

plastique vert. Ces attaches finiront par couper la tige qu'elles soutiennent soit à cause du poids des fruits qui

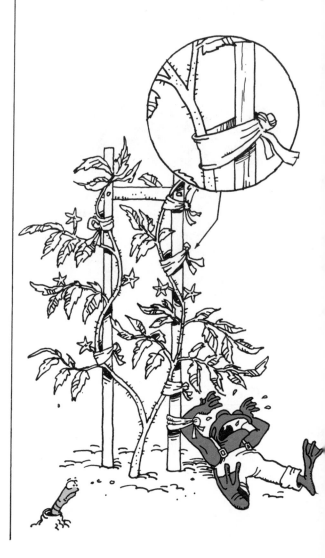

feront courber la tige, soit à cause de la croissance de la tige. Prenez plutôt un morceau de coton dans lequel vous taillerez des bandelettes d'au moins 4 cm de largeur.

Vous devrez aussi enlever les gourmands qui poussent à l'aisselle de chaque feuille.

un engrais organique d'émulsion de poisson.

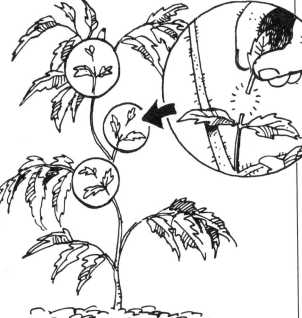

Plantez jusqu'au niveau des deux premières feuilles. Si la tige est trop longue, plantez en courbant la tige.

Il est préférable de repiquer vos plants en pots de tourbe pour diminuer le choc au moment de la transplantation au jardin. Au moment de la plantation à l'extérieur appliquez un engrais de type 10-52-17 ou

Des racines se développeront le long de la partie enterrée.

La tige d'un plant de tomates est entièrement recouverte de petits poils.

Au toucher, ils se brisent et libèrent un liquide odorant que vous reconnaîtrez facilement.

Les variétés mentionnées ci-dessous produisent de petits fruits. Elles prennent peu d'espace et sont tout indiquées pour la culture en contenants.

• Petites tomates jaunes en forme de poire mesurant environ 6 cm de long.

• Tomates italiennes de forme allongée. Elles rehausseront toutes vos sauces.

- Tomates-cerises de la grosseur d'une balle de ping-pong. Elles font un bel effet en panier suspendu et peuvent être cultivées dans un contenant muni d'un tuteur (variété indéterminée).

Voir la section « Culture en contenants ».

Le choix du prof

- Hybride Springset
- Hybride Perron 50
- Hybride Rosextra

Un truc de congélation

Vous aurez sûrement une récolte abondante de tomates que vous ne pourrez consommer tout de suite. Peut-être vos parents voudront-ils les utiliser pour faire autre chose que du « ketchup ».

Congelez les tomates avec la pelure après les avoir lavées. Essuyez-les bien et faites-les congeler sur une tôle à biscuits. Ensuite, conservez-les dans un sac à congélation jusqu'au moment où vous voudrez les utiliser.

Si vous décidez de faire une sauce, par exemple, prenez le nombre de tomates désiré. Il vous suffira de les passer sous l'eau tiède pour enlever la pelure avec vos mains; coupez-les en quartiers, et laissez réduire à feu lent, en ajoutant, bien sûr, vos épices préférées que vous aurez peut-être cultivées en panier suspendu non loin de la cuisine.

Vous pouvez ajouter deux ou trois tomates ainsi préparées au bouillon accompagnant poulet, bœuf, poisson, etc.

Bon appétit!

TABLEAU D'OBSERVATIONS

Légumes	N° du catalogue	Variété	Date du semis		Temps de germination
			intérieur	extérieur	

Date de la transplantation extérieure	Fleurs		Fruits		Observations personnelles
	Date de la première fleur	Couleur des pétales	Date du premier fruit	Date de la première dégustation	

5.
UN JARDIN BIOLOGIQUE

Au cours des trois derniers étés, nous avons expérimenté (en nous basant sur quelques notions transmises par Michel Chevrier dans son livre intitulé *Le jardin naturel*) comment les plants de notre potager pouvaient s'entraider.

Nous entretenons un potager dans le but d'avoir des légumes frais, et autant que possible, exempts de produits chimiques.

Apprendre à cultiver un jardin «équilibré», c'est d'abord connaître les besoins des plantes et les regrouper de façon à éviter qu'elles ne se nuisent.

La culture naturelle exige une attention soutenue et une bonne préparation du sol; elle se prête particulièrement bien à la culture en contenants.

Nos observations

Voici en résumé, les résultats de nos expériences et observations:

- Les pois exigent une certaine humidité pour donner un bon rendement. Procurer de l'ombre au sol empêchera le soleil de le dessécher. Vos pois seraient donc avantagés par la culture de carottes à leur pied.

Les carottes n'ombrageront pas tout le plant, mais uniquement le sol.

- Le basilic intercalé parmi les plants de tomates transmettra un léger arôme à votre récolte de tomates et en éloignera certains insectes.

- La laitue montera vite à la graine sous les chauds rayons du soleil. Planifiez sa croissance de façon à lui donner le soleil direct du matin et à lui épargner les chauds rayons de l'après-midi, en cultivant à ses côtés,

versant sud, tomates ou concombres qui lui apporteront un peu d'ombre.

Les effets insecticides de quelques plantes à fleurs

- Le géranium aide au contrôle des insectes autour des pois et des haricots.

- L'œillet d'Inde entourant le potager a un effet insecticide très efficace sur l'ensemble des légumes.

- La capucine protégera vos choux et brocolis.

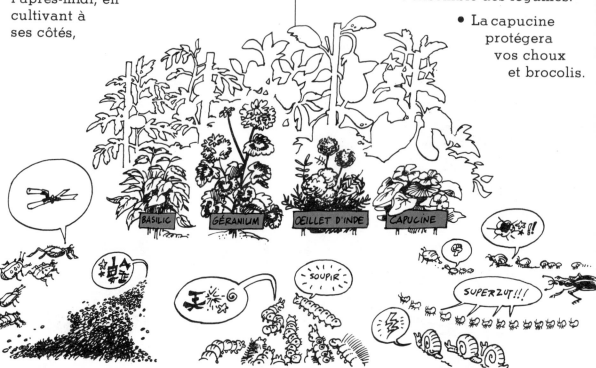

Les insectes et animaux utiles

- Les abeilles sont essentielles à la pollinisation des fleurs de vos plants (voir chapitre sur la reproduction).

- Les coccinelles, mieux connues sous le nom de «bibittes à patates», dévorent les pucerons et leurs œufs.

- La mante-religieuse détruit beaucoup d'insectes.

- Les araignées capturent maints insectes dans leur toile.

- Le lombric ou ver de terre aère le sol en profondeur, ce qui favorise la décomposition des matières organiques.

- Les oiseaux, dont les hirondelles, consomment beaucoup d'insectes dans une journée. Offrez-leur un abri et une baignoire.

Un dernier petit truc:
Si vous partagez votre laitue ou vos tomates avec les limaces, offrez-leur une bière en apéritif. Elles raffolent de la bière, et... voulant profiter de ce breuvage au maximum, entrent dans la soucoupe et s'y noient!!

Pour détecter leur présence, placez une planche de bois dans votre potager; elle leur servira d'abri. Le lendemain, retournez la planche. Si vous y voyez des limaces, sortez la bière!

La culture naturelle est un défi très satisfaisant à relever. En mettant la nature de votre côté, vous aurez sans aucun doute la satisfaction de voir votre potager garni de plants forts et en santé.

Rappelez-vous qu'un plant sain saura mieux résister à la visite d'insectes non désirés.

Le compostage

La fabrication du compost est un des éléments de base du jardinage biologique

C'est de plus une façon de faire du recyclage.

Le compost est un engrais naturel très recherché, qu'on emploie aussi bien dans le jardin et les plates-bandes que dans les contenants. On peut le définir comme étant le résultat de la décomposition de matières organiques par des bactéries. Tous les rebuts organiques comme le gazon coupé, les feuilles mortes, la paille coupée, les émondes d'arbres et d'arbustes ou les déchets de cuisine, peuvent être transformés en compost.

La construction d'un enclos

C hoisissez de préférence un petit coin ombragé de votre terrain. Votre enclos pourrait mesurer entre 1 et 1,5 m de côté, par 1 à 1,5 m de hauteur. À chaque extrémité, plantez quatre pièces de bois et construisez le tour avec des planches d'environ 10 cm de largeur. Entre chaque planche, laissez un espace d'au moins 10 cm pour la circulation d'air. Il est préférable qu'un des côtés puisse s'ouvrir pour mélanger et récupérer votre compost.

Chaque couche de 15 cm de débris organiques devra être recouverte d'une épaisseur d'environ dix cm de terre sur laquelle vous étendez environ deux tasses de nitrate d'ammonium (azote). Ce mélange se réchauffera rapidement. Il faut le maintenir humide, sans l'inonder, et le mélanger au moins deux ou trois fois par semaine pour l'aérer. S'il s'en dégageait une certaine odeur de putréfaction, mélangez et recouvrez d'une dizaine de centimètres de terre.

N'oubliez surtout pas que les bactéries ont besoin d'air pour faire leur travail et que s'il manque d'oxygène, le tas pourrira au lieu de se décomposer lentement; c'est ce qui produit l'odeur désagréable.

Un tas de compost bien préparé se décomposera rapidement, sans laisser d'odeur. Surtout avec de la pelouse coupée et des feuilles mortes, il sera prêt entre trois et six mois plus tard.

Plus il fait chaud, plus la matière organique se décompose rapidement. Idéalement, remplissez votre enclos (voir ci-dessus) jusqu'au début d'août, puis utilisez votre engrais au printemps suivant. C'est un mode de récupération écologique et rentable.

6.
L'ENTRETIEN DU POTAGER

L'entretien de votre potager se résume en cinq opérations: enlever les mauvaises herbes (sarcler), arroser, biner, éliminer les insectes nuisibles et y ajouter des engrais. Ces travaux simples sont une bonne occasion de s'amuser tout en observant l'évolution de ses légumes.

Le sarclage

S i vous faites cette opération une fois par semaine, il vous suffira d'environ 30 minutes pour nettoyer un potager de trois par cinq mètres. On arrache les mauvaises herbes simplement en tirant. Il faut que toute la racine soit enlevée. En arrosant la veille, les mauvaises herbes s'enlèveront bien

le lendemain matin.
Vous remarquerez qu'elles seront nombreuses au début de l'été. Toutefois, elles se feront de plus en plus rares si vous les enlevez régulièrement.

L'arrosage

L 'important, c'est de ne pas trop arroser. Un arrosage en profondeur tous les quatre jours est très suffisant. Pour savoir si vous arrosez à fond, placez un bol dans le jardin. Lorsque celui-ci contient environ 4 à 5 cm d'eau, l'arrosage est suffisant.
Avant d'arroser, touchez la terre et creusez de quelques centimètres avec vos mains. Si elle est humide et si les feuilles de vos plantes sont fermes, l'arrosage n'est pas indiqué. N'oubliez pas qu'un excès d'eau dans la terre empêche l'oxygénation du sol et par conséquent nuit à la plante.

Le binage

UN BON BINAGE
VAUT
UN ARROSAGE !!!

Ainsi disaient souvent les anciens. Lorsque la terre commence à durcir à la surface, il faut briser cette croûte. De cette façon, on favorise l'oxygénation du sol, et l'eau en profondeur a tendance à s'évaporer. L'eau qui passe ainsi du sous-sol vers

la surface entraîne des sels minéraux que les racines absorbent. Si vous avez quelques ampoules aux mains ou quelques courbatures après cet exercice, dites-vous qu'il vous a été aussi profitable qu'aux plantes! Un binage aux deux semaines est suggéré. Il permet également de déraciner les mauvaises herbes.

L'élimination des insectes nuisibles

Certaines plantes éloignent les insectes (voir chapitre «Un jardin biologique»),

mais il arrive quelquefois que ces petits indésirables essaient de bouffer avant nous le contenu du potager. Il faut alors s'en débarrasser et le meilleur insecticide, c'est encore de les écraser entre votre pouce et votre index!

Il existe aussi d'autres moyens. Nous avons réussi, par exemple, à éloigner les insectes avec une solution d'ail écrasé dans de l'eau, que l'on asperge sur le feuillage des plants. Cet insecticide naturel a l'avantage de ne pas polluer le jardin.

Si vous préférez utiliser un insecticide commercial, suivez toujours les indications du fabricant et demandez à un adulte de l'appliquer pour vous. Souvenez-vous toujours que les insecticides sont des poisons. Nos cellules ne savent que faire de ces poisons et souvent, elles les accumulent dans les graisses, le foie, le cerveau ou un autre organe.

Si vous étiez de la même grosseur qu'un insecte, vous en mourriez vous aussi.

Observez bien vos plants et n'appliquez pas d'insecticide, à moins que ce ne soit vraiment nécessaire. Les parasites les plus fréquents sont les chenilles ou les pucerons. Ceux-ci sont très petits, et souvent de couleur verte, ce qui vous oblige, pour les remarquer, à regarder de très près les jeunes feuilles, qui sont elles aussi de couleur verte.

Si vous faites vos ensemencements, choisissez la variété qui résiste le mieux aux insectes.

La nature met à notre disposition — fort heureusement — des insectes utiles au potager. Nous en avons décrit quelques-uns au chapitre sur le jardin biologique.

La fertilisation

Utilisez les engrais avec modération, surtout si, au printemps, vous avez incorporé du compost à la terre.

Cultivez vos légumes en rotation, car si vous cultivez à chaque année le même légume au même endroit, vous appauvrirez rapidement le sol, et dans certains cas, il y aurait risque de maladie.

Les engrais ne sont pas des polluants chimiques au même titre que les insecticides ou les herbicides, ces deux derniers étant des poisons et non des éléments essentiels à la croissance, comme en contiennent les engrais.

De plus, notre organisme contient normalement de l'azote, du phosphore et du potassium — éléments constituant les engrais — mais ne contient pas d'herbicides ni d'insecticides.

7.
UN POTAGER
SUR VOTRE BALCON

Si vous habitez la ville, en appartement, votre balcon peut se transformer en un potager à la fois décoratif et productif. Même si vous vivez en banlieue, vous serez agréablement surpris des résultats de ce mode de culture. La culture en contenants et la culture hydroponique représentent pour vous deux excellentes possibilités.

La culture en contenants

Ce mode de culture permet de nombreuses possibilités aux imaginations les plus «fertiles». Tout est possible: depuis la forme et la dimension du récipient, jusqu'à l'agencement et au choix des légumes.

Que préférez-vous?

Tomates, concombres, aubergines, piments, radis, laitues, carottes, betteraves, oignons, échalottes, choux, poireaux, persil, ciboulette, navets, épinards, herbes potagères?

Ce mode de culture présente plusieurs avantages, et, par conséquent, donne souvent un meilleur rendement que la culture en potager conventionnel.

Les avantages sont les suivants:

- Vous offrez à vos plants un milieu de croissance parfait en utilisant un terreau synthétique (*Readi-Earth, Pro-Mix*). Ces terreaux sont stériles, donc exempts de mauvaises herbes et d'organismes pouvant transmettre des maladies. Ils sont légers et bien aérés, ce qui permet aux racines de bien s'étendre dans le contenant, et à l'eau de s'échapper rapidement.

- Il y a moins de risques d'invasion par les insectes.

- On peut rentrer les contenants à l'intérieur en cas de vents violents ou encore de gelées tardives ou hâtives.

- Les légumes cultivés en contenants apportent un décor très original à votre milieu de vie.

Le choix des contenants

Le critère le plus important est l'égouttement de l'eau. Votre contenant doit donc être troué. Sa forme importe peu et sa dimension dépend bien sûr de l'espace que vous avez. Essayez cependant d'avoir au moins 20 cm de profondeur.

Un détail à considérer: si vous improvisez un potager sur votre balcon du troisième étage, rappelez-vous que l'eau s'égouttera sur la tête de votre voisin du deuxième ou sur celle des passants. Pensez à installer une soucoupe sous vos récipients... Votre voisin l'appréciera sans aucun doute!

Puisque l'espace de jardinage est restreint, optez pour des variétés naines. Certaines ont été mises au point spécialement pour les potagers réduits ou la culture en contenants.

Agencements à la fois fonctionnels et décoratifs

Dans une boîte à fleurs mesurant 25 cm de profondeur, 40 cm de largeur et 1 m de longueur, vous pourriez, par exemple, planter des:

- carottes — laitues — betteraves — radis;

- tomates-cerises soutenues par un treillis qui pourrait être appuyé à un mur ou fixé à la boîte;

- tomates et basilic;

- oignons — betteraves — laitues;

- concombres.

Autre agencement: un panier suspendu contenant plusieurs herbes aromatiques, installé près de la cuisine. Les concombres et les tomates-cerises (dont on parle un peu plus loin) se prêtent également très bien à la culture en panier suspendu.

La distance entre les plants

Puisque vous cultivez en contenants, vous n'aurez pas à circuler entre les rangs, et le binage se fera à la main. Vous pouvez donc réduire un peu la distance entre les rangs et les plants.

Souvenez-vous cependant que votre plant a besoin d'un minimum d'espace pour grandir. Par exemple, si vous cultivez vos laitues trop rapprochées, vous récolterez peut-être un plus grand nombre de plants, mais chaque pomme obtenue sera plus petite. Vous ne gagnerez donc pas en quantité totale récoltée, et le manque d'aération autour des plants pourrait leur être nuisible.

Imaginez la dimension du légume cultivé à maturité, puis ajoutez 5 cm. La distance obtenue devrait suffire.

Exemples

Légume	Diamètre à maturité	Ajoutez 5 cm	Distance obtenue
Betteraves	Entre 5 et 8 cm	5 cm	10 à 13 cm
Carottes	Entre 2 et 4 cm	5 cm	7 à 9 cm
Radis	2,5 cm	5 cm	7,5 cm

Les légumes rampants

Certains légumes rampants peuvent aussi bien être cultivés en panier suspendu qu'en boîte munie d'un treillis. C'est le cas des tomates-cerises, des tomates-poires, des concombres et des haricots. Vous devrez cependant compenser l'espace réduit par des arrosages plus fréquents

et par l'addition de fertilisants,
environ une fois par mois.
Le poids des fruits pourrait causer
le déracinement des plants: le sol
ne doit donc pas être trop léger.
Utilisez en quantités égales sable,
terreau synthétique et terre à jardinage.

Un exemple amusant, décoratif et délicieux: les tomates-cerises en panier suspendu

La variété hybride «Toy Boy» donne
des fruits très sucrés de la grosseur
d'une balle de ping-pong.

De croissance très rapide, elle donnera
des fruits huit à dix semaines après le
semis. Plantée à l'intérieur,
cette variété pourra donc produire de
bons fruits mûrs pour Pâques...
Quoi de plus réconfortant après
un long hiver!

Comme pour les légumes rampants,
assurez-vous que le sol ne soit pas
trop léger.

- Semez huit graines dans
  une corbeille mesurant 30 cm de
  diamètre. Procédez tel qu'expliqué
  au chapitre sur les semis intérieurs.

- Lorsque vos plants auront deux
  vraies feuilles, gardez seulement
  quatre plants (les plus
  forts), et repiquez-les
  si nécessaire vers le
  centre du pot, en formant
  un carré de 10 cm.
  Vous laissez donc 10
  cm entre chaque plant.

- Vous pouvez laisser
  la corbeille sous
  un fluorescent
  pour le début
  de la croissance,
  ou l'installer
  devant une
  fenêtre ensoleillée,
  lui assurant au
  moins une demi-
  journée de plein
  soleil.

- Fertilisez aux trois semaines avec du 20-20-20 ou avec de l'engrais spécial pour tomates afin de stimuler la production.

- Au cours de la croissance, aidez les plants à retomber de chaque côté de la corbeille.

La culture hydroponique

La culture hydroponique consiste à faire pousser les plantes directement dans une eau contenant des substances nutritives nécessaires à leur développement. Les racines reposent dans une substance neutre (vermiculite) et absorbent l'eau et les aliments de la solution chimique. C'est le mode de culture du futur. Les bases spatiales l'utiliseront pour nourrir leurs occupants. Les conditions favorables à la croissance des plantes seront alors contrôlées par ordinateur.

Déjà le commerce nous offre des systèmes hydroponiques. Cependant, ils sont dispendieux et leur installation ne requiert pas de votre part autant d'ingéniosité que si vous construisiez vous-même votre propre système.

Avantages

Ce mode de culture offre de nombreux avantages par rapport à la pleine terre.

- D'abord, il produit plus pour un même espace.

- C'est un choix idéal pour cultiver sur un balcon, une terrasse ou à l'intérieur.

- Tous les facteurs étant contrôlés, la production est constante et les plantes, plus vigoureuses, résistent mieux aux maladies et aux insectes.

- Il peut fonctionner toute l'année (à l'intérieur).

- Les mauvaises herbes n'y poussent point.

- Le système fonctionne très simplement.

- Vos plantes ne manquent jamais d'eau.

- Si vos plantes sont cultivées à l'intérieur ou à l'abri, elles ne subissent pas les pluies contaminées par divers polluants.

- Vos plants peuvent être déménagés facilement.

Conditions de réussite

Quatre points sont à surveiller :

- L'aération de l'eau doit être assurée à l'aide d'une pompe pour aquarium.

- La solution doit être changée régulièrement afin que les plantes aient toujours à leur portée tous les éléments nutritifs.

- Les racines doivent toujours être à la noirceur et ce, pour deux raisons : elles fuient la lumière qui favorise la croissance des algues. Celles-ci absorbent les substances nutritives et brouillent l'eau.

- La température de la solution doit

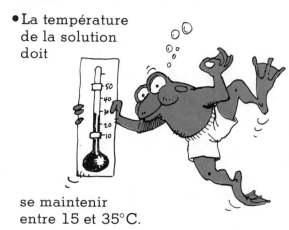

se maintenir entre 15 et 35°C.

Construction de votre système hydroponique

Matériel nécessaire :

- Deux bassins de plastique (genre plat à vaisselle) suffisamment opaques pour arrêter la lumière. Si votre système est à l'extérieur et exposé au soleil, ces bassins doivent être de couleur pâle, car les couleurs foncées absorbent les rayons solaires, et la température de la solution deviendrait rapidement trop chaude.

- Des pots de plastique dont le fond est troué (le nombre de pots dépend de la quantité de plants désirés).

- Une pièce de bois suffisamment grande pour recouvrir complètement les bassins.

- Du vermiculite et des sels minéraux pour culture hydroponique disponibles chez le marchand horticole.

- Si possible, une pompe pour aquarium avec un boyau de plastique pour l'aération. Si votre système est installé à l'extérieur, protégez la pompe des intempéries à cause du système électrique.

Employez uniquement du bois ou du plastique car le métal, à moins d'être traité, réagit avec la solution hydroponique.

Faites des trous dans la pièce de bois afin d'y installer vos récipients. Ceux-ci doivent être supportés par ce couvercle. Si le pot est droit, passez une tige de bois de façon à le retenir. Ajustez les pots pour qu'ils pénètrent tous à la même hauteur dans la solution (environ 3 cm).

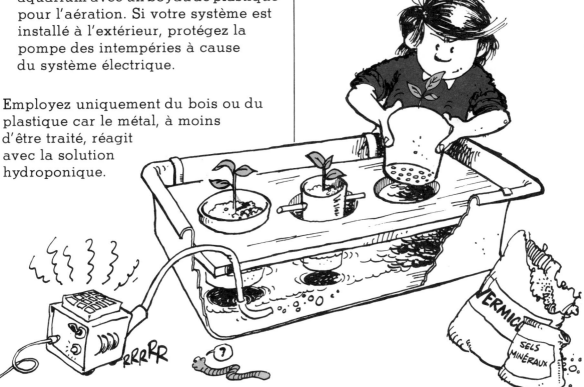

Il ne vous reste plus qu'à remplir vos récipients de vermiculite et de les installer dans le couvercle perforé. Diluez votre poudre chimique dans l'eau tel qu'indiqué par le fabricant et remplissez le bassin de telle sorte que la solution inonde le quart des récipients contenant les plantes. Au début, le vermiculite absorbera beaucoup de liquide et il faudra en ajuster le niveau.

Lorsque le vermiculite est humide à la surface, semez-y vos graines ou, si vous préférez, achetez des plants chez le marchand, lavez les racines afin d'en enlever toute la terre et installez-les dans le vermiculite.

Si vous avez une pompe d'aération pour aquarium, servez-vous en avec un diffuseur d'air pour aérer la solution. Sinon, il vous faudra agiter celle-ci une ou deux fois par jour.

Lorsque les plantes auront atteint 5 à 7 cm, commencez à changer la solution à raison d'une fois par deux semaines au début, puis une fois par semaine quand les plants seront plus gros.

Voici quelques symptômes qui vous indiqueront si vous devez changer la solution plus fréquemment.

- Si les feuilles jaunissent.
- Si elles tombent.

- Si elles ont des points jaunes ou bruns et qu'elles s'ondulent ou si les nouvelles feuilles sont pâles et chétives, elles manquent d'un des éléments.

Au lieu de tenter de modifier l'élément en question, il est beaucoup plus simple de changer toute la solution plus fréquemment.

Pour changer la solution, la méthode la plus facile consiste à remplir au niveau désiré un deuxième bassin identique au premier. Soulevez le couvercle et les plantes qu'il retient, laissez égoutter quelques secondes, posez-le avec les contenants sur ce nouveau bassin et replacez l'aérateur, si vous en avez un. La solution usée sera avantageusement utilisée pour arroser le potager ou les fleurs. Lavez ce récipient car il faut qu'il soit propre pour le prochain changement. Si l'eau s'évapore entre les changements, vous pouvez simplement ajouter de la solution.

Quelques trucs pour augmenter vos chances de réussite

- Plus le bassin est gros, moins la solution subira de variations de température.

- Attachez vos plants à des supports de bois fixés sur le couvercle. Ils prendront moins d'espace.

- Observez vos plants régulièrement pour détecter les signes de maladies ou la présence d'insectes.

- La lumière est un facteur déterminant pour votre réussite en culture hydroponique. Suivez les mêmes instructions que pour les semis. N'oubliez pas qu'un plant de tomates devient très gros par rapport à d'autres comme la laitue ou le cresson. À l'intérieur, sous un éclairage artificiel, il faudra donc prévoir des plants atteignant approximativement la même hauteur, sinon les plus petits manqueront de lumière. Si votre culture se fait à l'extérieur, vous pourrez mélanger toutes les espèces que vous désirez. Le soleil est de loin la meilleure source de lumière.

Les plantes suivantes s'adaptent très bien à la culture hydroponique :

- le cresson d'eau
- la laitue
- l'épinard
- le brocoli
- la tomate
- le concombre

- le céleri
- le piment
- la plupart des fines herbes

De plus, il vous est toujours possible d'essayer la culture hydroponique avec toute autre plante que vous aurez le goût d'expérimenter. (N'oubliez surtout pas de nous faire connaître vos résultats.)

8.
DES PROJETS
POUR
TOUTES LES SAISONS

Un terrarium… souvenir d'une belle promenade en forêt!

L ors d'une promenade en forêt, observez la composition du sol : feuilles, brindilles, cônes, glands, roches et mousse. Remarquez aussi le décor et l'atmosphère générale : fougères, jeunes sapins, etc.

Tentez de recréer en miniature ce petit coin de terre.

Matériel requis

- Un aquarium ou un bocal à poisson rouge.

- Du gravier pour recouvrir d'environ 2,5 cm le fond du récipient.

- Du charbon de bois pour horticulture (le charbon de bois élimine les odeurs de moisissures).

- Du terreau.

- Des roches, brindilles, lichens ou autres éléments de votre choix.

- Choisissez de préférence des plantes qui exigent les mêmes conditions de croissance. Par exemple, vous pourriez créer un sous-bois, avec différentes variétés de petites fougères.

Comment procéder

- Couvrez le fond de 2,5 cm de gravier.

- Recouvrez le gravier de 1,5 cm de charbon de bois.

- Installez le terreau de façon à recréer le sous-bois que vous avez observé, avec par exemple un sentier, un rocher ou un plan d'eau. Un plan d'eau s'improvise rapidement: enfouissez un plat de plastique dans la terre, de façon à ce que la surface de l'eau soit au même niveau que le sol. Un plat de 10 à 15 cm de diamètre par 10 cm de profondeur pourrait loger un petit poisson rouge de 5 cm.

- Prévoyez deux ou trois paliers: les plantes seront ainsi plus avantagées.

- Une petite grenouille ou une couleuvre ajouterait de la vie et de l'intérêt à votre terrarium. Nourrissez-les avec des insectes et des petits cubes de viande ou de poisson. Attention aux tortues cependant! Plusieurs sont herbivores et mangeraient rapidement votre décor. D'autres, carnivores, auraient tôt fait de dévorer le poisson rouge!

Fonctionnement et entretien du terrarium

Dans un terrarium presque complètement fermé (à l'aide d'une vitre ou d'une pellicule de cellophane), les plantes vivront très bien avec quelques millilitres d'eau chaque mois. Cependant, ne fermez pas complètement l'ouverture car tout comme les êtres humains, les plantes ont besoin d'air.

L'humidité se recycle presque sans limite. La plante absorbe l'eau contenue dans le sol par ses racines, l'eau monte dans la tige, se répand dans les feuilles et celles-ci rejettent l'eau sous forme de vapeur. Cette vapeur se fixe sur les parois et s'écoule dans le sol. Puis le cycle recommence.

Il sera toujours possible de compenser l'évaporation de l'humidité en vaporisant délicatement un peu d'eau tiède sur le feuillage deux ou trois fois par semaine.

Vous pourriez aussi réduire de moitié l'espace qui reste ouvert à l'aide de cellophane.

Des légumes pleins d'eau

L'eau est un élément essentiel à la vie. On évalue à 66% la teneur en eau de l'organisme humain. Chez les légumes, la quantité d'eau dépasse 80%, et parfois même 95%, du poids total.

Une expérience simple vous permettra de calculer cette quantité d'eau. Choisissez un légume (betterave, pomme de terre, concombre, etc.) ou un fruit (tomate, orange, etc.) et pesez-le sur une balance de cuisine; après l'avoir tranché, faites-le sécher au four à chaleur minimale

pendant 10 à 12 heures. Lorsqu'il est sec, pesez-le de nouveau. Pour établir le pourcentage d'eau, effectuez le calcul suivant:

$$\frac{\text{poids après séchage}}{\text{poids avant séchage}} \times 100$$

Si vous n'avez pas de balance, fabriquez-en une: il vous faudra un bloc de bois d'environ $18 \times 8 \times 4$ cm pour la base, une petite règle de plastique, une pièce de bois de $30 \times 2,5 \times 0,5$ cm environ comme balancier, et des pièces de monnaie.

À l'aide d'une scie, faites un trait dans chaque morceau de bois afin d'y insérer la règle. Pour le balancier, ce trait doit être exactement au centre.

La pesée s'effectue en plaçant le fruit à une extrémité du balancier; en posant des pièces de monnaie à l'autre extrémité, vous pourrez déterminer le poids de votre fruit. Ainsi, sachant que:

- 1¢ pèse 2,7 g
- 5¢ pèse 4,5 g
- 10¢ pèse 2,0 g
- 25¢ pèse 5,0 g

Superposez à une extrémité quatre pièces de 25¢ et vous aurez exactement 20 g de fruits à l'autre extrémité lorsque le balancier sera en équilibre.

Inscrivez vos résultats au tableau de la page suivante.

Pourquoi un organisme vivant contient-il tant d'eau? Parce que la vie est maintenue grâce à des réactions chimiques qui se réalisent dans l'eau. Ces réactions produisent l'énergie et la chaleur, fabriquent les nouvelles cellules, permettent la digestion, la respiration et plusieurs autres manifestations de la vie elle-même. Sans l'eau, ces réactions chimiques s'arrêtent et c'est la mort.

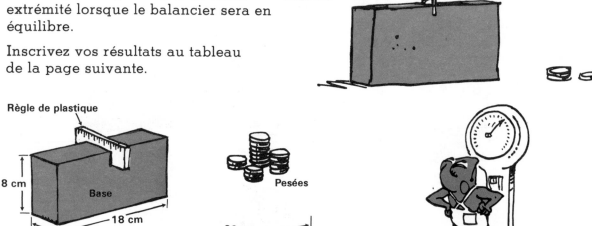

Règle de plastique

8 cm

Base

18 cm

4 cm

Pesées

30 cm

0,5 cm

2,5 cm

Balancier

Légume ou fruit	Poids avant séchage	Poids après séchage	% d'eau

La fertilité des graines

Vous êtes-vous déjà demandé pourquoi les graines sont contenues à l'intérieur du fruit? C'est dans le but d'inviter les animaux, surtout les oiseaux, à les manger. L'animal digère le fruit mais pas la graine, qu'il libère dans ses selles, parfois loin du lieu du repas. C'est donc un moyen efficace de propagation des espèces végétales.

Observez l'intérieur d'une tomate. Elle contient de petits grains brunâtres. Comptez-les, puis laissez-les sécher pendant deux ou trois jours sur un papier absorbant. Inscrivez le nombre de graines récoltées au tableau de la page suivante. Semez-les ensuite tel que décrit au chapitre sur les semis intérieurs. Vous n'aurez pas besoin de système d'éclairage pour cette expérience.

Lorsque les plants feront leur apparition, comptez-les. Attendez cependant deux à trois semaines pour que les graines aient toutes eu le temps de germer, puis calculez le pourcentage de fertilité de la façon suivante :

$$\frac{\text{Nombre de graines germées}}{\text{Nombre de graines semées}} \times 100$$

Refaites l'expérience avec des noyaux de pamplemousse, de citron ou d'orange. Vous obtiendrez des plants magnifiques en les plaçant sur le bord d'une fenêtre. L'avocat contient un seul gros noyau et donne un très bel arbuste. N'oubliez pas cependant qu'il faut des fruits mûrs pour une bonne germination des noyaux.

Espèce végétale	Nombre de graines récoltées	Nombre de graines germées	% de fertilité

Les fraises et les framboises renferment de nombreux petits grains; comptez-les et semez-les après les avoir fait sécher. Faites de même avec les concombres, les melons, le maïs ou toute autre graine trouvée. Inscrivez vos résultats au tableau de la page précédente, et comparez vos expériences avec celles de vos amis.

Lorsque vous aurez compté le nombre de graines ayant germé, jetez les plants, car ceux-ci résultent de croisements très spécifiques et le résultat des semences pourrait produire des plants différents de ceux que vous aimeriez obtenir. Ainsi, si vous plantez des pépins de pomme, vous pourriez obtenir des pommiers qui fleurissent peu, qui ne résistent pas au froid, ou qui donnent de petites pommes sûrettes.

Sans connaître les ancêtres, on ne peut prévoir la progéniture.

C'est un peu comme pour les croisements chez les animaux. Ainsi une chienne noire qui aurait des chiots d'un père inconnu, pourrait donner naissance à des petits chiens qui seraient noirs ou encore noirs et blancs, tout blancs ou jaunes et noirs. Ils peuvent aussi être soit plus gros ou plus petits qu'elle. Les plantes suivent elles aussi, ces lois qui régissent les croisements.

Coupez un bulbe en deux...

À l'aide d'un couteau bien aiguisé, tranchez délicatement un bulbe en deux (jacinthe, tulipe ou narcisse). Vous observerez l'embryon parfaitement formé du plant:

- feuilles
- bouton floral
- tige

Les tissus entourant le bouton floral contiennent les éléments nutritifs du bulbe, et deviendront plus tard le feuillage du plant.

Reproduisez votre observation et identifiez les différentes parties du bulbe.

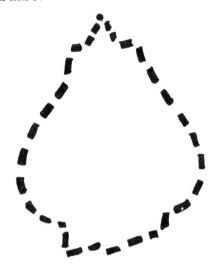

Dessinez votre observation

Les plantes insectivores

Voici une excellente façon d'intéresser les curieux. La Dionée ou Trappe de Vénus est une plante qui attire les insectes et les attrape d'un mouvement rapide pour les dévorer.

L'extrémité des feuilles ressemble à une gueule ouverte prête à digérer

l'imprudent. Armée de crochets, cette gueule se referme comme un livre et emprisonne l'insecte dès qu'il a touché aux poils sensibles. Pour provoquer la fermeture de votre «attrape-insectes» devant vos amis(es), touchez *très délicatement* les poils sensibles avec un petit bout de bois.

Le repas terminé, la feuille s'ouvre de nouveau en quête d'une nouvelle proie.

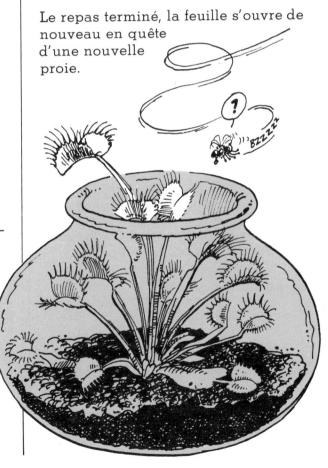

Il ne reste plus que quelques débris du dernier festin. Cet ogre de la nature se cultive facilement à la maison. À la suite de quelques essais infructueux, nous avons réussi sa culture, dont nous vous livrons ici la recette.

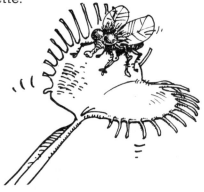

Choisissez un vase de verre genre «bol à punch» ou un aquarium bombé pour poisson rouge. Ces vases sont renflés, et l'ouverture est relativement petite. Déposez au fond une épaisseur d'environ 10 cm de sphaigne non stérilisée.

Lorsque vous achetez la sphaigne, observez-la attentivement. Choisissez un sac où il y a quelques minuscules pousses vertes. Ajoutez de l'eau pour l'inonder et installez-la au soleil pour quelque temps. Maintenez toujours environ 3 ou 4 cm d'eau au fond. Recouvrez l'ouverture de cellophane pour retenir l'humidité. Quand vous verrez des pousses vertes, vous pourrez y installer votre plante insectivore.

De nombreux marchands de plantes vendent des Dionées pour environ quatre dollars. Enlevez la plante du pot dans lequel vous l'avez achetée et plantez-la soigneusement dans la sphaigne en conservant le sol autour des racines.

Si la sphaigne est toujours maintenue humide et que la plante est placée à un endroit ensoleillé à l'intérieur, ou à l'ombre à l'extérieur, elle vivra de nombreuses années. Évitez cependant de lui donner de la viande et n'oubliez pas que ces plantes aiment l'eau.

Si durant l'été vous l'installez à l'ombre à l'extérieur, elle mangera les insectes imprudents. Aussi, il est fort possible que quelques fougères tentent de pousser dans la sphaigne; ceci ajoutera un aspect naturel fourni par dame nature elle-même.

Il existe d'autres types de plantes insectivores dont la Sarracénie (emblème floral de la province de Terre-Neuve) et la Drosère : on les retrouve dans les tourbières québécoises. Il arrive parfois que la Drosère s'installe dans le sable humide.

Quel type de sol retient le mieux l'eau ?

La nature et la composition du sol déterminent le degré de rétention de l'eau. L'expérience suivante vous permettra d'évaluer ce degré de rétention.

Procurez-vous différents types de sols : terre commerciale à jardinage, sable, petites pierres, terre de votre jardin, terre argileuse, vermiculite.

Suspendez un gros entonnoir au-dessus d'une tasse à mesurer. Dans l'entonnoir, installez un filtre à café en forme de cône et remplissez-le d'une demi-tasse de votre terre expérimentale.

Arrosez-la *lentement* d'une tasse d'eau en ayant soin d'humecter toute la surface. Une partie de l'eau sera retenue dans le sol tandis qu'une certaine quantité

coulera dans la tasse à mesurer. Arrosez une deuxième et une troisième fois la terre dans l'entonnoir avec l'eau qui s'est écoulée dans la tasse à mesurer. N'oubliez pas d'arroser lentement et uniformément toute la surface.

Après le troisième arrosage, mesurez la quantité d'eau recueillie sous l'entonnoir. Vous serez ainsi en mesure d'apprécier la rétention de l'eau par le sol et de comparer votre terre avec d'autres.
Indiquez vos résultats sur le tableau.

Type de sol expérimenté	Quantité d'eau recueillie
Terreau à jardinage commercial	
Terre provenant du potager	
Vermiculite	
Readi-Earth	
Terre argileuse	
Terre sablonneuse	
Sable	
Terre provenant d'une boîte à fleur	
Moitié vermiculite / Moitié terreau à jardinage	
Autres spécimens:	

L'amaryllis...
pour un Noël fleuri

L e bulbe d'amaryllis produit deux ou trois tiges florales pouvant atteindre jusqu'à 60 cm de hauteur et portant chacune entre cinq et sept grosses fleurs. Parce que la plante croît très rapidement, il faut tourner le pot deux ou trois fois par jour pour que la tige pousse bien droit (voir l'expérience décrite à la section «L'éclairage» dans le chapitre sur les semis intérieurs).

Certains bulbes ont une croissance plus rapide que d'autres. Nous avons déjà observé une croissance de plus de 20 cm en une seule journée. Il serait donc juste de dire qu'ils poussent «à vue d'œil»!

En général, vous pouvez compter de quatre à cinq semaines entre le moment de la plantation du bulbe et l'apparition des premières fleurs. Si vous désirez vos fleurs pour Noël, plantez votre bulbe vers le 15 novembre.

Mode de culture

• Choisissez un pot d'argile d'environ 18 cm de diamètre.

Nous recommandons un pot d'argile parce qu'il est plus lourd. Il vous sera plus facile de maintenir l'équilibre du contenant au moment où vos tiges florales seront garnies de cinq ou sept fleurs.

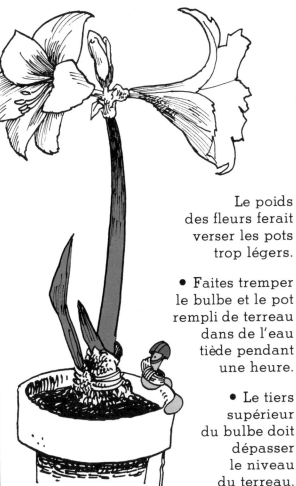

Le poids des fleurs ferait verser les pots trop légers.

• Faites tremper le bulbe et le pot rempli de terreau dans de l'eau tiède pendant une heure.

• Le tiers supérieur du bulbe doit dépasser le niveau du terreau.

- N'oubliez pas de tourner le pot pour avoir une croissance uniforme. La plupart du temps, la tige florale apparaît avant les feuilles. Celles-ci poussent souvent après la floraison.

- Lorsque le plant est en fleurs, évitez le soleil direct le jour et placez-le dans un endroit plus frais la nuit. Ceci prolongera la floraison.

- Après la floraison, coupez la hampe florale et laissez croître le feuillage. À cette étape, le bulbe refait ses provisions pour fleurir l'année suivante. Fertilisez une fois par mois avec un engrais soluble dans l'eau tiède.

- En août, le feuillage commencera à jaunir. Cessez les arrosages et laissez les feuilles sécher.

- Lorsque toutes les feuilles auront jauni, coupez le feuillage près de l'extrémité du bulbe et laissez-le au repos durant environ dix semaines, en l'entreposant dans un endroit sec et frais.

- Après la période de repos, il sera prêt pour une nouvelle végétation.

La gloxinie... des couleurs magnifiques

L es feuilles ovales et duvetées de la gloxinie sont surmontées de jolies fleurs en forme de cloche aux riches couleurs veloutées mesurant de 8 à 12 cm de diamètre.

Vous aurez l'embarras du choix de la couleur: rouge, blanc, violet, rouge bordé de blanc, violet bordé de blanc,

blanc bordé de rose ou de bleu,
et bien d'autres encore.

Plantez vos tubercules en février dans
un mélange moitié terreau de
jardinage, moitié vermiculite.
Remarquez la présence d'une légère
cavité sur un des côtés du bulbe:
la cavité doit être placée vers le haut
et la partie arrondie vers le bas du pot.
N'enterrez pas complètement le
tubercule. Gardez la partie supérieure
découverte. En arrosant prenez garde
que l'eau ne s'accumule dans la cavité:
ceci pourrait faire pourrir le bulbe.
Arrosez plutôt dans la soucoupe pour
maintenir le terreau humide. Gardez
le pot à la température de la pièce.

Lorsque les feuilles mesurent environ
5 cm de hauteur, placez vos pots
à la lumière, évitant toutefois les
rayons directs du soleil.

Appliquez un engrais soluble dans
l'eau une fois par mois.

Après la floraison, le feuillage
persistera un certain temps. Lorsqu'il
commencera à jaunir, cessez
les arrosages et mettez vos tubercules
au repos, dans un endroit sec et
légèrement frais jusqu'en février
suivant.

Recommencez alors à arroser par
la soucoupe.

Le caladium...
d'immenses feuilles
éclatantes

L e caladium est une plante bulbeuse
qui produit d'immenses feuilles
en forme de cœur aux couleurs
éclatantes. Vous pouvez les cultiver en
pot à l'intérieur

dès le mois de mars et,
si vous voulez, continuer leur
croissance à l'extérieur sur votre

balcon ou dans votre jardin, dans un endroit ombragé.

Amorcez la croissance des bulbes en les plaçant dans du vermiculite de façon à ce que l'extrémité dépasse légèrement le vermiculite.

Maintenez-les à la température de la pièce, exposés au soleil, jusqu'à l'apparition des premières feuilles. Le soleil réchauffe le milieu de croissance et favorise la sortie des feuilles.

À ce moment, rempotez dans un terreau léger et enrichi, en utilisant un pot d'au moins 18 cm de diamètre. Installez-les maintenant à l'abri des rayons directs du soleil. Trop de lumière réduirait l'intensité des couleurs. Maintenez le terreau humide et vaporisez chaque jour le feuillage à l'eau tiède. Appliquez chaque mois un engrais soluble dans l'eau.

Après six ou sept mois de végétation, les feuilles

À L'ANNÉE PROCHAINE

commenceront à se décolorer et à sécher. Arrêtez alors les arrosages. C'est le temps du repos! Lorsque le terreau sera complètement sec, enlevez la terre qui se trouve sur vos bulbes et conservez-les dans un sac de plastique rempli de vermiculite, dans un endroit sec et tempéré (15-17°C).

Vous pourrez recommencer à faire pousser vos caladiums en mars suivant.

Une jacinthe sur une carafe d'eau...

Voilà une excellente façon d'observer en même temps la croissance des racines, des feuilles et des fleurs.

En octobre ou novembre, placez un gros bulbe de jacinthe sur une carafe remplie d'eau, de façon à ce que la base du bulbe touche à peine l'eau.

Mettez le tout dans une armoire fraîche et sombre jusqu'à ce que les racines atteignent le fond de la carafe.

Observez chaque jour et ajoutez un peu d'eau, si nécessaire, pour maintenir la base du bulbe à la surface de l'eau.

Profitez-en pour mesurer la longueur des racines et pour commencer votre fiche d'observations :

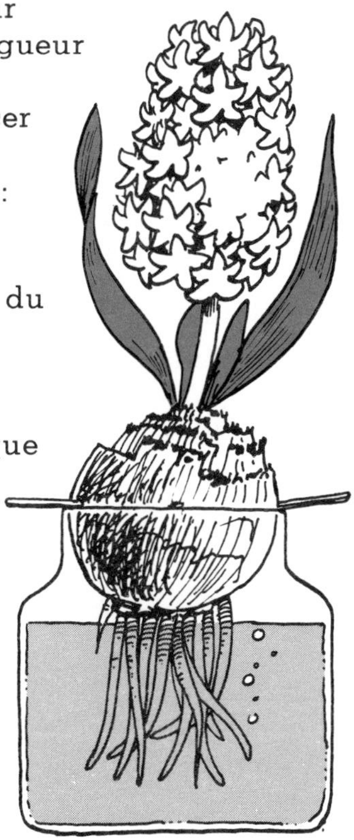

- date de l'installation du bulbe dans l'eau ;

- date de chaque observation et longueur des racines ;

- apparition du feuillage ;

- apparition de la tige florale ;

- épanouissement des fleurs

Lorsque les racines ont atteint le fond de la carafe, placez celle-ci à la lumière. Environ trois semaines plus tard, vous obtiendrez des fleurs qui parfumeront agréablement votre demeure.

Comparez votre fiche d'observations avec celles de vos amis(es).

LA JACINTHE		
		DATE
Installation du bulbe dans l'eau		
Observation n° 1	Longueur racines	
n° 2		
n° 3		
n° 4		
n° 5		
n° 6		
n° 7		
n° 8		
n° 9		
n° 10		
Apparition du feuillage		
Apparition de la tige florale		
Épanouissement des fleurs		
Remarques :		

Des bulbes
à floraison printanière
(crocus, jacinthes, narcisses ou tulipes)

L es pépiniéristes offrent en
septembre et octobre des bulbes
spécialement traités pour être «forcés»
à l'intérieur.

Le «forçage» est le procédé par lequel
on place le bulbe au repos en lui
procurant fraîcheur et obscurité, pour
ensuite le forcer, c'est-à-dire
le réveiller bien avant le moment où
il l'aurait fait lui-même s'il était cultivé
en plein air.

N'achetez que des variétés
recommandées pour le forçage; les

autres sont destinées à la culture à
l'extérieur. Si vous commandez vos
bulbes par catalogue, ils vous seront
livrés au moment où vous devrez
commencer votre culture.

Avant de fleurir, vos bulbes ont besoin
d'une période de repos. Pendant dix
ou douze semaines, placez-les dans un
endroit sombre et frais pour permettre
aux racines de se développer.

Voici comment procéder.
Au début d'octobre, placez six bulbes
(jacinthes,
narcisses ou
tulipes) dans
un pot d'argile
de 18 cm de
diamètre
rempli d'un
mélange de terre
à jardinage, de
mousse de
tourbe et d'un peu de sable.
Recouvrez-les d'environ 1,5 cm de sol.
Arrosez légèrement et placez vos pots
à l'obscurité dans une chambre
froide, un garage ou une remise,
à une température de 4°C.

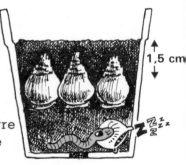
1,5 cm

Si vous ne possédez pas d'endroit avec
ces conditions, vous pouvez procéder
de la façon suivante:

- À l'extérieur, creusez un trou
  d'environ 8 cm de plus

profond que la hauteur du pot
à enfouir (un coin du potager ferait
très bien l'affaire).

- Placez vos pots sur un lit de cailloux
pour assurer un bon drainage, et
remplissez les espaces avec du
vermiculite; ceci facilitera
l'enlèvement du pot, après la
période de repos, lorsque le sol aura
commencé à geler.

- Prenez un pot de la même
dimension que celui contenant
vos bulbes, et placez-le la tête
en bas,

de façon à recouvrir vos
bulbes. Ce deuxième pot émergera
de la fosse et facilitera
la récupération des bulbes le temps
venu.

- Si la pluie est rare, vous pouvez
arroser jusqu'aux premières gelées.

- À l'arrivée des gelées, cessez les
arrosages, et recouvrez votre fosse
de 8 cm de feuilles mortes et
d'environ 40 cm de branches
de sapin. Ne mettez pas trop de
feuilles mortes. Elles réchaufferaient
votre milieu, provoquant alors
une germination trop hâtive des
bulbes.

Après dix ou douze semaines
de repos, vérifiez la
formation des racines.

Branches de
sapin (40 cm)

Feuilles mortes
(8 cm)

Pot renversé
(vide)

Bulbes

Vermiculite

Terre

Cailloux

Sol

Si elles dépassent le trou de drainage et que les tiges commencent à sortir du sol, il est temps de procéder au forçage. Sinon, laissez au repos pendant encore deux ou trois semaines.

La période de forçage

- Lorsque vous observez le phénomène décrit plus haut, placez le pot à une température d'environ 12°C pendant trois semaines et maintenez le sol humide. Donnez assez de lumière pour le développement du feuillage.

- À l'apparition du bouton floral, augmentez graduellement la température et la lumière naturelle (cette période d'adaptation dure deux jours).

- Installez ensuite vos pots n'importe où dans la maison, mais protégez-les des rayons directs du soleil.

- Lorsque vos plants seront en fleurs, arrosez plus souvent, et donnez-leur une température plus fraîche la nuit afin de prolonger la floraison.

NOTE: *Les bulbes ainsi cultivés ne pourront refleurir selon le même procédé la prochaine année, car ils ont épuisé toute leur énergie. Ne les jetez pas. Installez-les au jardin et ils referont peu à peu leurs provisions.*

9.
PLANTEZ UN ARBRE

9.

«J'ai planté un chêne au bout de mon champ. Perdrerais-je ma peine, perdrerais-je mon temps?» chante le poète Gilles Vigneault.

L'arbre est un symbole de force et de grandeur. Plantez un arbre…

vous le verrez grandir avec vous et, même de nombreuses années plus tard, il restera le fidèle témoin du geste que vous aurez posé.

Cependant, choisissez bien l'espèce, car l'arbre sera là pour longtemps! Éliminez immédiatement les saules et les peupliers, dont les racines nuiraient aux fondations des maisons et aux systèmes d'aqueduc: tôt ou tard, il faudra les couper. Les ormes et les bouleaux sont très sensibles aux insectes et aux maladies diverses; ils seront fréquemment une cause de soucis.

Pourquoi pas alors un arbre fruitier? Bien sûr, il exige de l'entretien, mais ses fruits récompenseront votre labeur. Les pommiers étant fréquents, vous pourriez opter pour une espèce plus rare comme le poirier. Il existe des variétés adaptées à notre climat. Si l'espace dont vous disposez est réduit, cultivez un arbre nain.

Évitez cette fâcheuse habitude d'aller chercher un arbre dans la forêt. Ceux que vendent les pépiniéristes sont plus beaux et valent le coût impliqué. Un arbre représente un très beau cadeau d'anniversaire. Demandez-le à vos parents cette année au lieu d'un jeu électronique beaucoup plus dispendieux... et beaucoup moins durable!

Quelques conseils

Avant de planter un arbre, rappelez-vous qu'il peut devenir très gros et qu'il est là pour longtemps. Ne le placez pas sous un fil électrique ou trop près d'une maison. Ainsi, une épinette devrait toujours être à au moins 4 m d'une habitation.

- Pour planter votre arbre, creusez un grand trou et remplissez-le d'eau. Laissez égoutter un peu et placez ensuite l'arbre. Enterrez-le de telle sorte qu'il soit surélevé, car avec le temps la terre se compactera et l'arbre sera dans une dénivellation.

- La poudre d'os vendue chez les pépiniéristes vous assurera une transplantation réussie. Saupoudrez-en dans le trou avant d'y installer l'arbre.

- N'arrosez pas trop. Un surplus d'eau est fréquemment à l'origine des pertes.

Suggestions d'espèces à choisir

Le *ginkgo*, conifère d'origine chinoise, est particulièrement rare dans nos régions. Il peut atteindre 30 mètres de haut avec un tronc de plus de 1 m de diamètre. Il existe des arbres mâles et des arbres femelles. Cependant, comme les graines dégagent une odeur désagréable, seuls les arbres mâles sont vendus.

Le ginkgo s'adapte très bien aux atmosphères polluées des villes. C'est un survivant de l'époque préhistorique.

Souvent, il orne les jardins des temples boudhistes, en Chine, où on connaît des individus âgés de plus de mille ans. Il tolère toutes sortes de sols et est très résistant aux maladies et aux insectes. À l'automne, ses feuilles jaunissent et tombent. Vous en aurez donc beaucoup à raconter avec cette espèce.

Les *pins* : le pin noir d'Autriche pousse rapidement et abritera de nombreux oiseaux.

Les *épinettes* : gracieuses, elles poussent rapidement; comme les pins, elles sauront se faire belles devant les admirateurs.

Les *érables* : une fois adulte, l'érable à sucre entaillé laissera couler sa sève, source de sirop d'érable. À l'automne, il mettra du rouge dans le décor.

Le *chêne* : un arbre magnifique qui saura vous conquérir par sa forme, la couleur de ses feuilles à l'automne, ses glands qui attirent les écureuils et l'effet de force extraordinaire qu'il semble dégager.

Les *fruitiers* : vous avez le choix (pommiers, pommetiers, pruniers, cerisiers, pêchers, poiriers). Ils sont sensibles aux insectes et aux maladies et doivent être taillés pour fournir de beaux fruits en profusion. Néanmoins, les fleurs du printemps et les fruits produits récompensent vos efforts.

L'*olivier de Russie* : arbre de taille moyenne, il salue le début de l'été d'une multitude de petites fleurs jaunes au parfum délicat. Il développe de petites olives très recherchées des oiseaux. Ses feuilles, d'un vert argenté, produisent un effet très décoratif.

Il existe, bien sûr, beaucoup d'autres essences d'arbres. Nous ne voulons cependant pas nous perdre dans une liste exhaustive. Avant de choisir, renseignez-vous auprès de spécialistes ou consultez un livre sur le sujet.

10.
PERSONNALISEZ VOTRE LIVRE

Ce chapitre vous permettra d'insérer dans ce volume les résultats de vos expériences.

Par un procédé qu'on nomme la «mise en presse», on extrait d'une fleur ou d'une feuille toute l'humidité qu'elle contient afin de la conserver indéfiniment.

La récolte des spécimens

Cueillez vos échantillons par une journée sèche et ensoleillée vers le milieu de l'après-midi. Une cueillette en matinée ou en soirée est à déconseiller, car la rosée laissera des taches sur vos spécimens.

Le pressage et le séchage

Préparez vos échantillons aussitôt cueillis. S'il s'agit d'une fleur, coupez la tige le plus près possible du calice et dans le cas d'une grosse fleur, séparez les pétales pour les sécher, et reconstituez la fleur après le séchage. Pour une feuille, coupez la tige à environ 1,5 cm de la feuille.

Identifiez votre échantillon, indiquez la date de la récolte, puis insérez ces renseignements avec chaque spécimen entre deux feuilles de papier buvard. Glissez le tout à l'intérieur d'un vieil annuaire téléphonique.

Si vous avez plusieurs échantillons à faire sécher, prenez soin de laisser suffisamment d'espace entre les feuilles de l'annuaire afin de garder une surface plane. Recouvrez l'annuaire d'un objet lourd (brique ou dictionnaire) et patientez au moins trois semaines.

Le montage des spécimens

Lorsque vos spécimens sont secs, c'est le temps de les placer dans la section «Votre mini-herbier». Tracez un cercle assez grand pour loger votre fleur ou feuille séchée. Découpez un morceau de cellophane (papier Saran) de la même dimension que le cercle. Placez votre spécimen au centre, recouvrez-le avec le cellophane, puis maintenez le tout en place en collant le contour du cellophane avec du ruban adhésif invisible. Vous pouvez aussi utiliser du *Mac-tac* transparent. Identifiez vos spécimens à l'aide des notes que vous avez prises lors de la récolte.

Avec le temps, la couleur de vos spécimens séchés s'altérera. La façon la plus simple de les rehausser est de les peindre (de la même couleur) avec de la peinture à l'eau à laquelle vous aurez ajouté une goutte de savon à vaisselle. L'addition de savon permet une meilleure adhésion de la peinture.

La construction d'un presse-feuilles

S i la mise en presse vous intéresse, vous pourriez vous construire un « presse-feuilles ».

Prenez deux morceaux de contre-plaqué mesurant 30 cm × 30 cm, quatre serres à bois, des cartons ondulés de la même dimension que le contre-plaqué, du papier buvard ou du papier journal.

Superposez un carton, un papier buvard (ou papier journal), l'échantillon à sécher, un papier buvard et un carton. Répétez cette opération autant de fois que vous le désirez, en respectant toutefois la hauteur exigée par les serres.

Recouvrez le tout de la deuxième pièce de contreplaqué et installez les serres aux quatre coins en les fermant graduellement à tour de rôle. Vos spécimens y demeureront installés pendant trois semaines. Si vous n'avez pas de serres, vous pouvez utiliser des courroies qui maintiendront le tout solidement attaché.

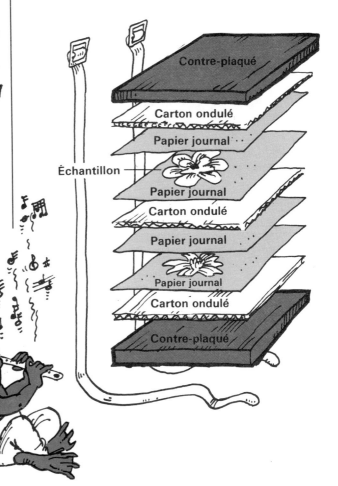

Contre-plaqué

Carton ondulé

Papier journal

Échantillon

Papier journal

Carton ondulé

Papier journal

Papier journal

Carton ondulé

Contre-plaqué

Votre mini-herbier

Nom du spécimen :

Date de la récolte :

Remarques :

Nom du spécimen :

Date de la récolte :

Remarques :

Nom du spécimen :

Date de la récolte :

Remarques :

Nom du spécimen :

Date de la récolte :

Remarques :

Nom du spécimen:

Date de la récolte:

Remarques:

Nom du spécimen:

Date de la récolte:

Remarques:

| Nom du spécimen : |
| Date de la récolte : |
| Remarques : |

| Nom du spécimen : |
| Date de la récolte : |
| Remarques : |

Nom du spécimen :

Date de la récolte :

Remarques :

Nom du spécimen :

Date de la récolte :

Remarques :

| Nom du spécimen : |
| Date de la récolte : |
| Remarques : |

Nom du spécimen :
Date de la récolte :
Remarques :

11.
LE CALENDRIER
DES
PETITS DÉBROUILLARDS

Voici le calendrier des activités que nous vous proposons de faire tout au long de l'année. À chaque mois vous y trouverez des expériences et des projets à réaliser, que ce soit à l'intérieur ou à l'extérieur.

Les numéros, à la suite de chaque sujet, vous réfèrent à la page de ce volume où vous trouverez plus de détails.

Les projets marqués d'un astérisque (*) sont réalisables en toutes saisons, tandis que les deux astérisques (**) indiquent les projets qu'il vous sera possible d'entreprendre au début du printemps et de l'automne.

janvier

février

mars

avril

mai

juin

juillet

août

septembre

octobre

novembre

décembre

LA COLLECTION DES PETITS DÉBROUILLARDS

Dirigée par le Service Hebdo-science

DES EXPÉRIENCES

Chaque livre, avec ses expériences faciles à réaliser, permet aux petit(e)s débrouillard(e)s de s'instruire en s'amusant. On y apprend comment fabriquer un thermomètre, changer l'eau en vin, construire un mini-ordinateur et bien plus encore! De nombreuses heures de plaisir en perspective.

Le petit débrouillard
128 pages

66 nouvelles expériences
144 pages

Encore des expériences!
120 pages

DES SUJETS VARIÉS

Avec Kim, Caroline, Mathieu et les autres (sans oublier Beppo la grenouille espiègle), expérimentez la culture des plantes, l'élevage des animaux de compagnie, la cuisine scientifix ou partez à la découverte du système sanguin, dans ces livres remplis d'illustrations humoristiques.

L'Animalerie des petits débrouillards 96 pages

Les voyages fantastiques de Globulo 104 pages

Jardinez avec le professeur Scientifix 148 pages

Les petits marmitons
96 pages

Ces livres sont en vente dans les LIBRAIRIES. Pour les régions non desservies, commander à :
Québec Science Éditeur, C.P. 250, Sillery, Québec G1T 2R1 Tél. : 657-3551, poste 2860
Joindre votre paiement.

UN CLUB ET UN MAGAZINE
POUR LES PETITS DÉBROUILLARDS

Le Club des petits débrouillards,
c'est le rendez-vous des 7-14 ans qui
s'intéressent aux découvertes.

Les membres du Club reçoivent chaque mois
le magazine *Je me petit débrouille,* qui contient
des expériences du professeur Scientifix
et des articles bien illustrés dans tous les
domaines scientifiques; on y parle
du corps humain, des planètes, des découvertes
technologiques, de la conquête de l'espace,
des animaux, des carrières en sciences,
des ordinateurs, etc. Il y a aussi une chronique
d'humour, une rubrique de correspondants
demandés, des jeux de l'esprit, le courrier
des lecteurs, et plusieurs pages
de bandes dessinées.

L'abonnement annuel (11 numéros) coûte 15$ et l'abonnement pour
deux ans 28$. Faire un chèque à l'ordre du Club des petits débrouillards
et le faire parvenir avec ses nom, âge et adresse au:

Club des petits débrouillards
4545, avenue Pierre-de-Coubertin
Case postale 1000, succursale M, Montréal (Québec)   H1V 3R2
Téléphone: (514) 252-3027

Le magazine *Je me petit-débrouille* est publié par l'Agence Science-Presse
avec la collaboration du Conseil de développement du loisir scientifique

Tarifs sujets à changement sans préavis.